Miłość rano,
miłość wieczorem

Maria

NUROWSKA

Miłość rano, miłość wieczorem

Wydanie I
Warszawa

1

W kwietniu tysiąc dziewięćset siedemdziesiątego szóstego roku Teatr Wielki wystawiał *Toscę* w wykonaniu artystów opery berlińskiej z Evą Meier, słynną śpiewaczką w roli tytułowej, trudno więc było o bilety. Podobno przy kasach rozgrywały się dantejskie sceny, ludzie bili się nawet o wejściówki. Wieści te przyjmowałem dosyć obojętnie, gdyż nie byłem miłośnikiem opery, raziła mnie ta wszechobecna sztuczność, śmieszyły krągłe śpiewaczki odgrywające piękne heroiny, pożądane przez partnerów. Z tego pożądania wynikały same kłopoty kończące się zgonem jednego z kochanków, a bywało, że i obojga naraz. Nie zabiegałem więc o zaproszenie, kilka z nich trafiło do naszej pracowni architektonicznej i natychmiast zostały rozdrapane, ale w dniu premiery jeden z kolegów, szczęśliwy posiadacz takiego zaproszenia, rozchorował się i mnie wyznaczono na zastępstwo, a skoro tak, wbiłem się w garnitur i wyruszyłem do teatru.

Dawno nie byłem w tak szacownym wnętrzu, więc jak tylko znalazłem się w środku, udzielił mi się nastrój podniosłości i oczekiwania na niezwykłe przeżycia duchowe. Gdy odezwał się trzeci dzwonek ponaglający spóźnialskich do zajęcia miejsc, ja już dawno siedziałem w swoim fotelu, wcześniej zapoznawszy się z treścią libretta, jako że artyści mieli śpiewać po włosku, a ja niestety nie jestem poliglotą. Kiedy kurtyna poszła w górę i zobaczyłem dekoracje, wiedziałem już, że to kościół Świętego Andrzeja z widoczną kaplicą Attavantich, w której markiza ukryła kobiece przebranie dla zbiega, konsula podbitej Republiki Rzymskiej, był to bowiem rok tysiąc osiemsetny. Jak dotąd wszystko się zgadzało, w kaplicy pojawił się konsul, a zaraz potem na scenę weszli Zakrystian i malarz Mario Cavaradossi, który kończył wizerunek Marii Magdaleny, obdarzając ją twarzą znanej nam już markizy. To ona modliła się wcześniej w kaplicy obok.

Po wyjściu Zakrystiana zbieg opuścił swoją kryjówkę, a Mario zaoferował mu pomoc w ucieczce. I oto nadeszła Tosca... wiedziałem, co wydarzy się dalej, ona na widok wizerunku markizy odczuje zazdrość, tym bardziej że wchodząc do kościoła, słyszała, jak Cavaradossi z kimś rozmawiał, on z kolei nie zechce ujawnić, kim był rozmówca, aby nie narazić ukochanej. Dochodzi między nimi do kłótni...

W momencie gdy śpiewaczka pojawiła się na widowni, rozległ się szmer, a ja przestałem śledzić losy przedstawienia, bo ta kobieta... gdzieś już musiałem ją widzieć. Mimo peruki i grubo nałożonego makijażu odkrywałem w niej coś znajomego, z każdą niemal chwilą odczuwając narastający niepokój. Kim ona jest? Gdzie mogliśmy się spotkać? Nie była to osoba młoda, co rzucało się w oczy mimo przebrania, mogła być kimś z dalekiej przeszłości, z dzieciństwa nawet, ale ja przecież wtedy nie znałem żadnej Niemki...

Obserwowałem diwę przez lornetkę, co budziło zdziwienie osób siedzących obok, a potem w czasie antraktu przyjrzałem się na afiszu jej twarzy już bez teatralnego makijażu. Uśmiechała się do mnie... moja teściowa. Widziałem ją tylko raz, podczas przysięgi małżeńskiej w na wpół zburzonej katedrze Świętego Jana na Starówce, niedługo zresztą przed ewakuacją. Teściowa nie przeszła wraz z innymi do Śródmieścia. Albo pozostała pod gruzami Starego Miasta, albo zginęła gdzieś w kanałach. Zosia, moja żona, długo na nią czekała... Teraz znowu kościół i znowu ona... Tyle że teraz byłaby już bardzo wiekową osobą, na jaką artystka jednak nie wyglądała. Była dość korpulentna, z pewnością krawcowe tudzież makijażystki sporo się musiały napracować, aby uczynić z niej w miarę atrakcyjną kobietę. Ale czy to mogła być ona... Zosia? W żadnym razie nie przypominała tamtej smukłej, jasnowłosej dziewczyny, która stanęła w progu kwatery powstańczej i tak bardzo nie pasowała do tego otoczenia. Starówka była wtedy zupełnie zburzona.

– Czemu pan porucznik tak mi się przygląda? – odezwała się, mrużąc w uśmiechu oczy. – Czy mam coś na nosie?

Poczułem się zmieszany, chyba się nawet zaczerwieniłem, więc oficjalnym tonem spytałem:

– Nowa łączniczka?

– Jestem Viola, przyniosłam pocztę...

Potem się dowiedziałem, że wybrała sobie pseudonim z *Wieczoru trzech króli*, co wydało mi się dziwne, bo sztuka była komedią. Sięgnęła do brezentowej, obszytej skórą torby i wyjęła stamtąd meldunek, a wychodząc, niemal zderzyła się w przejściu z moim przyjacielem, Olem. Oczywiście obejrzał się za nią.

– Niezła jest – powiedział. – Który z nas do niej startuje?

– Lepiej przeczytaj, co przyniosła – odpowiedziałem, podsuwając mu pod nos skrawek papieru. – Będziemy się ewakuować, my, wojsko, a co z ludnością cywilną?

Przyjaciel wzruszył ramionami.

– Niech się martwią ci wyżej, my jesteśmy od wykonywania rozkazów.

Było mu łatwiej niż mnie, mógłbym go nazwać lekkoduchem, ale znałem Olka od dzieciństwa i wiedziałem, że jest to jego sposób na życie: jeśli coś od niego nie zależy, przestaje się tym zajmować. Przed wojną mieszkaliśmy w tej samej kamienicy przy Rozbrat, nasze rodziny były ze sobą zaprzyjaźnione. Można powiedzieć, że czasami nieźle rozrabialiśmy, jak wtedy gdy wykradliśmy należący do ojca Olka odlew herbu Zakonu Kawalerów Maltańskich. Postanowiliśmy go spieniężyć i wyruszyć z Gdyni statkiem dokoła świata. Do dzisiaj mam ten herb przed oczyma: czarny płaszcz usiany złotymi liliami, podbity gronostajem, u góry korona królewska, a w środku na czerwonym tle tarcza ze srebrnym krzyżem, całość opasana różańcem z pereł. Spakowaliśmy herb do torby i poszliśmy na bazar na Koszykach. Wydawało nam się, że dostaniemy za to dużo pieniędzy, a skończyło się na tym, że stójkowy odprowadził nas do domu razem z torbą i jej cenną zawartością.

Łączniczka Viola zniknęła, ale ciągle miałem przed oczami jej piękną twarz, niepokoiło mnie to i rozpraszało, więc nawet byłem zły na siebie, bo na Starówce robiło się coraz bardziej gorąco, a ja odpowiadałem za swoich ludzi...

A potem nadszedł ten dzień, a właściwie wieczór, kiedy ona nie wróciła od razu do Śródmieścia.

Po zmroku siedzieliśmy wszyscy w piwnicy, cała moja kompania, przyszły też dwie inne łączniczki. Wcześniej odkryliśmy po sąsiedzku kilka skrzynek samogonu i grzechem byłoby, gdyby się zmarnował, robiło się więc coraz głośniej i ośmieliłem się usiąść obok Violi. W pewnym momencie jedna z przybyłych dziewcząt zaproponowała, aby każdy powiedział z pamięci wiersz, warunkiem było, żeby nie był smutny. Olek wyrwał się pierwszy: „Po co troski, po co smutki, skoro żywot mamy krótki".

– No to pod ten krótki żywot pijmy wino, szwoleżerowie! – zawołał Kosa, mój zastępca.

A potem ta druga dziewczyna zaczęła recytować:

Stare Miasto czołami kamienic
Stoi naprzeciw przemocy,
Stare Miasto zdobywa wieniec,
Stare Miasto krwią broczy...

I dalej:

Ale Stare Miasto – to szaniec,
Bohaterstwa, wolności, sławy.
Stare Miasto nie podda się za nic,
Stare Miasto to szermierz Warszawy...
Więc gdy runą ostatnie domy,
Na Piekarskiej, Piwnej, Kanonii,
Tylko mur się przesunie ruchomy
I gdzie indziej zagrzmi: do broni!

Zrobiło się nagle bardzo cicho, w końcu ktoś odezwał się z pretensją w głosie: „To miał być ten wesoły wiersz?", a ja szepnąłem do Violi:

– Stare Miasto już się poddało, wycofujemy się.

– Nie mów im tego – odrzekła też szeptem.

Spojrzałem na nią:

– Przecież i tak się wkrótce dowiedzą.

– Jutro moja przyjaciółka bierze ślub – odpowiedziała. – Zepsujesz im uroczystość.

My także niemal w przeddzień ewakuacji stanęliśmy przed księdzem. W normalnym życiu można by to uznać za szaleństwo, ale tutaj wszystko działo się w przyspieszonym tempie, uczucia wybuchały z jakąś niebywałą siłą, a miłość i śmierć stawały się codziennością. Dzisiaj było się świeżo poślubioną żoną czy poślubionym mężem, a jutro zostawało się wdową lub wdowcem...

Ksiądz Karłowicz, starzec o tragicznej, wręcz cierpiętniczej twarzy, spytał nas:

– Jesteście pewni swoich uczuć?

Zgodnie przytaknęliśmy, nie wiem, co ona wtedy pomyślała, ale ja pomyślałem, że pewna jest tylko śmierć.

Nasze przyjęcie weselne było dość skromne, kilka puszek wędzonki ze zrzutów, za to wódki nie brakowało. W noc poślubną byłem tak pijany, że wtuliłem się w ramię swojej żony i zasnąłem. Z ciężkiego, pijackiego snu przebudziłem się dopiero nad ranem. Cuchnący potem i przetrawionym alkoholem nie przypominałem romantycznego kochanka, ale ona mi to wybaczyła. Miałem być jej pierwszym mężczyzną i kiedy to się stało, wypowiedziałem słowa, które dla kogoś z zewnątrz mogły zabrzmieć świętokradczo: – Ty jesteś jak hostia!

Zosia kursowała pomiędzy Starówką a Śródmieściem, odkąd została tam przeniesiona Komenda Główna, zwykle przedostając się kanałami, czasem jednak przejścia były zasypane i wtedy przechodziła górą, za każdym razem musiała „przeskoczyć" Aleje Jerozolimskie, czyli przebiec kilkanaście metrów pod ogniem strzelców wyborowych rozlokowanych na górnych piętrach Banku Gospodarstwa Krajowego. Nazywano ten odcinek przesmykiem śmierci, bo nasycony był głównie krwią łączniczek, ale i innych, którym spieszyło się na tamten świat... Zosia podziemną drogę znała na pamięć i to właśnie ona miała poprowadzić nasz konwój.

Czym była taka przeprawa, zrozumiałem, kiedy schodząc wtedy po klamrach, kilka metrów w dół, sam znalazłem się w kanale. Smród szlamu, ekskrementów i ciasno stłoczeni ludzie, uciekinierzy od życia, do którego nie było już powrotu. Z miejsca nas rozdzielili. Sądziłem, że już się nie zobaczymy, a jednak to Zosia była pierwszą osobą, która powitała mnie przy włazie na Wareckiej. Byłem brudny, śmierdzący i czułem odrazę do samego siebie, ale w jej oczach widziałem tylko miłość... Wychodziliśmy z Warszawy z towarzyszami broni, niektórym z nas udało się przeżyć, lecz kolejne polskie powstanie, jak i marzenie o wolności, legło w gruzach, dosłownie i w przenośni. Pozostawialiśmy za sobą doszczętnie zrujnowane miasto i sterty zabitych, wśród nich cywilów, kobiety i dzieci...

Czy to może być ona? – zadawałem sobie w kółko to pytanie, dopóki malarz Mario nie został podstępnie uśmiercony, Tosca zaś nie rzuciła się z wieży...

No i owacje na stojąco, ludzie klaskali i klaskali, kilkakrotnie wywoływano artystów, słyszało się okrzyki: „Eva! Eva!", a ona z godnością skłaniała głowę. Wreszcie można było wyjść. Musiałem się przekonać, kim była, inaczej ta niepewność dręczyłaby mnie do końca życia, więc na wyrwanej z notesu kartce napisałem: „Jeśli to Ty, żyję", po czym poprosiłem portiera, aby zaniósł liścik do garderoby. Powiedziałem mu, że jestem znajomym artystki. Nie oczekiwałem jakiegokolwiek odzewu, jednak po kilku minutach w foyer pojawiła się młoda dziewczyna z wypisanym na planszy imieniem i nazwiskiem: „Jerzy Ziarnicki". Na uginających się nogach ruszyłem w jej stronę.

Zosia siedziała w fotelu przed lustrem, miała na sobie jedwabny szlafrok w papugi, włosy spięte w zabawny koczek na czubku głowy. Wyglądała na zmęczoną, pod jej oczy zakradły się głębokie cienie.

– Szukałem ciebie – odezwałem się pierwszy z jakąś zapiekłą pretensją – przez całe lata...

– I jesteś rozczarowany – odpowiedziała ze smutnym uśmiechem. – Szukałeś młodej, a znalazłeś starą...

– Szukałem swojej żony.

– I odnalazłeś gruzy, same zgliszcza.

– Od gruzów się tylko zaczęło.

Oczy garderobianej, którą Zosia przywiozła ze sobą i która nie znała polskiego, robiły się coraz większe. Nie mogła pojąć, dlaczego jej chlebodawczyni tak długo rozmawia z nieznanym mężczyzną i w dodatku płacze.

– Dobrze, Greta – rzekła po niemiecku moja żona – zostaw nas.

Dziewczyna posłusznie dygnęła i ruszyła do wyjścia, ale zanim zamknęła drzwi, jeszcze się obejrzała, obrzucając mnie pełnym nieufności spojrzeniem.

– Nasza córka, Jerzy, nasza córka wplątała się w straszną sprawę, nie wiem, jak ją z tego wyciągnąć.

Chyba zmieniłem się na twarzy, bo Zosia na chwilę zamilkła.

– Źle się czujesz?

– W porządku – odparłem, starając się opanować. – Właśnie się dowiedziałem, że mam córkę...

– Ma na imię Anna, po mojej mamie... Kiedy się ostatni raz widzieliśmy, nie wiedziałam, że jestem w ciąży... a potem... powiedziano mi, że nie żyjesz...

– Zostałem tylko ranny... gdybym nie wrócił po twoje zdjęcie, to w ramce, moje ulubione... być może by mnie nie dostali...

Pokiwała z politowaniem głową.

– Zawsze byłeś sentymentalny.

– Ile ona ma teraz lat? Dwadzieścia cztery?

– Dwadzieścia trzy – sprostowała. – Urodziła się w pięćdziesiątym trzecim, w marcu. W środku to zagubione dziecko. Może nawet z mojej winy...

– A co to za straszna sprawa?

– Nie tutaj – odrzekła, dając mi do zrozumienia, że możemy być podsłuchiwani. – Przyjdź po mnie rano do hotelu, wybierzemy się na spacer. Teraz jestem bardzo zmęczona, po prostu padam z nóg.

Wychodziłem już, gdy spytała:

– Jak ci się podobało przedstawienie?

– Nie wiem, widziałem tylko ciebie – odrzekłem zgodnie z prawdą.

Byłem tak poruszony, że mimo późnej pory postanowiłem odwiedzić Feliksa. Znaliśmy się od czasów szkolnych, dołączył do nas z Olem w liceum imienia Stefana Batorego jako trzeci Muszkieter, bo tak nas zaczęto nazywać. Mieszkał na Pradze, jego ojciec miał tam warsztat szewski, ale dla syna chciał lepszej przyszłości, więc posłał go do renomowanego liceum w lewobrzeżnej Warszawie. Nie da się ukryć, że nasz przyjaciel początki miał trudne, zaczęło się od tego, że nikt nie chciał z nim siedzieć w ławce, nabijano się z jego praskiego akcentu i na różne sposoby starano się uprzykrzyć mu życie. Ktoś posmarował uchwyt do szafki klejem, ktoś inny niby przypadkiem wylał atrament na jego zeszyt. Kiedy na lekcjach wuefu okazało się, że świetnie gra w piłkę, jeden z kolegów podstawił mu nogę i ten wyłożył się jak długi.

– Wstawaj Piestrak, ciamajdo! – zawołał nauczyciel, bo nie widział całego zajścia.

I wtedy Olo powiedział:

– Panie profesorze, to był faul! Feliksowi podstawiono nogę!

– I który to?

– Mam nadzieję, że nasz kolega ma na tyle odwagi, aby się przyznać – ciągnął Olo.

W auli zrobiło się cicho jak makiem zasiał, wszyscy czekali na rozwój wypadków. Oczywiście nikt nie wyszedł przed szereg. A po powrocie do klasy Olo ostentacyjnie zebrał swoje książki i usiadł w ławce obok Feliksa. Do tej pory siedzieliśmy razem, ale zrozumiałem jego gest. Jako syn kawalera maltańskiego od najmłodszych lat miał wpajane, że zawsze należy stawać w obronie słabszych.

Od tamtego czasu nasza trójka stała się nierozłączna, wyznawaliśmy zasadę: jeden za wszystkich, wszyscy za jednego. Kiedy wybuchła wojna, mieliśmy po dziewiętnaście lat i byliśmy już studentami – ja architektury, Felek zdał na politechnikę na wydział mechaniki precyzyjnej, a Olo na medycynę. Oczywiście jak jeden mąż wstąpiliśmy do tajnej podchorążówki o nazwie Agrykola, przed powstaniem braliśmy udział w kilku akcjach, w jednej z nich Feliks został ciężko ranny w brzuch, ale się z tego wylizał. Z pomocą przyszedł ojciec Olka, profesor Zanecki, który był ordynatorem oddziału chirurgii w Szpitalu Dzieciątka Jezus. Po powstaniu nasze losy bardzo się skomplikowały, ja przesiedziałem kilka lat w więzieniu, Olo – wywieziony do stalagu w Niemczech – już do Polski nie wrócił, widzieliśmy się bardzo krótko, gdy przyjechał na pogrzeb ojca w pięćdziesiątym siódmym roku, jego matka umarła wcześniej i nie mógł jej pożegnać, byłoby to dla niego niebezpieczne. Ja wtedy jeszcze siedziałem, a kiedy w końcu wyszedłem, starałem się odszukać ich obu. Od ojca Ola, który mieszkał w dawnym mieszkaniu, tyle że z lokatorami, dowiedziałem się o losach jego syna, a z Feliksem zupełnym przypadkiem spotkaliśmy się na ulicy. Minęliśmy się i w tym samym momencie obejrzeliśmy się za siebie.

Feliks otworzył mi w szlafroku.

– Cóż cię sprowadza, przyjacielu, o tak późnej porze? – spytał. – Mniemam, iż jest to rzecz niecierpiąca zwłoki?

– Zośka się odnalazła – odpowiedziałem krótko.

Spojrzał mi w oczy:

– A nie mówiłem, że się odnajdzie!

– Może i mówiłeś, ale żaden z nas w to nie wierzył!

– To opowiadaj!

– Najpierw zrób herbatę.

Nastawił czajnik na gaz, usiedliśmy w jego niewielkiej kuchni.

– Byłem w Teatrze Wielkim...

– Wiem, na *Tosce* – znowu mi przerwał.

– Ale tego nie wiesz, że to ona była Toscą!

– Kto?

– Zośka!

Chyba pierwszy raz, odkąd się znamy, Feliks zaniemówił, miałem więc możliwość dokończenia swojej historii.

– A cóż ta twoja odnaleziona córka mogła takiego zrobić? Najwyżej zajść w ciążę z jakimś fagasem, który naszej artystce nie przypadł do gustu. – Feliks podsumował moją opowieść.

– Nie trywializuj – oburzyłem się. – Mówisz o mojej rodzinie!

– Takie mamy czasy, trywialne do granic możliwości. A twoja Zosia... nic dziwnego, że zrobiła karierę, sam mi opowiadałeś, że jak zaśpiewała piosenkę *Dziś do ciebie przyjść nie mogę*, wszyscy zamilkli...

– Co ty tu wyjeżdżasz z jakąś piosenką! – przerwałem mu. – Ona występuje na deskach największych teatrów świata. Metropolitan, La Scala...!

– Przecież to był nasz hymn!

– Hymn przegranego pokolenia, skończ już z tymi wspominkami!

– To ty wyciągnąłeś mnie z łóżka! – odrzekł urażony.

– Przyznasz, że miałem powód.

– Jak na spotkanie po dwudziestu latach dużo ci nie opowiedziała – odciął się Feliks. – Dlaczego nie zażądałeś dalszych wyjaśnień?

– Była nieludzko zmęczona, wiesz, ile ważą same jej stroje! Dźwigać to na sobie i do tego śpiewać!

– A jeszcze na koniec skok z wieży! – zażartował. – Nie miałeś ochoty jej złapać?

Wracałem do domu piechotą, Feliks mieszkał w osiedlu Za Żelazną Bramą, tuż przy Ogrodzie Saskim, które było podarunkiem towarzysza Gierka dla młodych małżeństw. W każdym takim bunkrze z wielkiej płyty mieścił się szereg klitek z ciemną kuchnią. Jedną z tych klitek zajmował mój przyjaciel, chociaż nie był ani młody, ani nie miał żony, to znaczy kiedyś miał, ale zginęła śmiercią żołnierza w ostatnim dniu powstania. Po wojnie przy uprzątaniu gruzów na placu Trzech Krzyży natrafiono na mogiłę Sabinki, którą mąż nazywał Królową Sabą i tak ją właśnie traktował, po królewsku. Niektórzy uważali go nawet za pantoflarza. Cokolwiek powiedziała, dla Feliksa było święte. Nie mógł uczestniczyć w jej pogrzebie na Powązkach, gdyż po kapitulacji wraz z kolegami z pułku „Baszta" trafił do obozu w Skierniewicach, a stamtąd do szpitala, gdzie amputowano mu lewą rękę powyżej łokcia, bo miał strzaskaną kość przedramienia. Wylizał się, rany goiły się na nim jak na psie i wraz z innym kontuzjowanym kolegą udało mu się uciec. Przystał do działającego na tym terenie oddziału Narodowych Sił Zbrojnych, który nie złożył broni. Po tym, jak oddział został rozbity, i zanim ogłoszono amnestię, Feliks ukrywał się, a później udało mu się dokończyć studia i pozostać na politechnice. Ze swoją przeszłością nie mógł marzyć o karierze naukowej, ale nie zależało mu na tytułach, chciał pracować z młodzieżą, a studenci go uwielbiali. Co prawda i ja, i Olo podśmiewaliśmy się z niego, że „starszy asystent" brzmi o wiele gorzej niż „adiunkt" na przykład. Feliks nie odpowiadał na takie zaczepki. Kiedy przestało to być dla nas niebezpieczne, Olo pisywał regularnie, najpierw ze Stanów Zjednoczonych, a potem z Kenii, bo na stałe osiadł w Afryce.

Szedłem przez Ogród Saski w stronę domu. Przy Krakowskim Przedmieściu udało mi się wykupić od miasta i wyremontować strych, z którego okien miałem widok na kolumnę Zygmunta i odbudowany Zamek Królewski; mieszkałem sam, bo nie zdecydowałem się na dłuższy związek z żadną kobietą, podobnie jak Feliks – wierny pamięci swojej Królowej Saby. Nie zdjąłem też obrączki, którą Zosia włożyła mi na palec. To była obrączka jej ojca, oddał ją żonie, gdy szedł na wojnę. „Odbiorę, jak wrócę", powiedział. Nie wrócił, jego nazwisko znalazło się na Liście Katyńskiej. Mama Zosi ofiarowała córce swoją w dniu naszego ślubu.

Chyba nie przyniosły nam szczęścia, los nas przecież wkrótce rozdzielił. Kim dla siebie będziemy po tylu latach? Czy będziemy umieli się odnaleźć? To były pytania bez odpowiedzi.

Minąłem swój dom i przecinając plac Zamkowy, zatrzymałem się przed katedrą, która w przeciwieństwie do mnie przeżywała drugą młodość, pamiętam, jak płonęła po zrzuceniu na nią bomby zapalającej. Ci, co ocaleli, pomagali rannym, nikt już nie myślał o ratowaniu tych świętych murów. W ostatniej chwili ksiądz, ten sam, który udzielał nam ślubu, podjął próbę wyniesienia z kaplicy Chrystusa na krzyżu, wisiał tu przecież od wieków. Zabrakło czasu, aby zdjąć go ze ściany, krzyż był olbrzymi, silnie umocowany, staraliśmy się więc z kolegami wynieść z płonącego wnętrza samą figurę, trzeba było ją jednak przedtem rozmontować, osobno tułów, osobno ramiona. Nieśliśmy je we dwóch, ja z uczuciem, że dźwigam fragment żywego ciała. Było w tym coś niesamowitego, zupełnie jakby Chrystus na powrót stał się człowiekiem i doświadczał tego samego, co my tutaj. Zastanawiałem się wtedy, czy ci wszyscy bezdomni ludzie towarzyszący figurze w drodze przez podwórza i przejścia wybite w ścianach, jeśli przeżyją, wystawią nam rachunek za cierpienia, które na nich sprowadziliśmy. A co z rachunkiem umarłych? Do dziś nie znalazłem odpowiedzi na swoje pytania. Z naszej trójki tylko ja miałem takie myśli,

Feliks po kapitulacji wstąpił do Narodowych Sił Zbrojnych, które były przeciwne wybuchowi powstania, i czuł się rozgrzeszony, a Olek, traktujący wojnę jak wspaniałą przygodę, uważał decyzję głównodowodzących za jedynie słuszną. Kiedy się po latach spotkaliśmy, z łezką w oku wspominał sam moment kapitulacji, jak to on i jego koledzy szli czwórkami, z bronią przy boku, a potem składali ją na stos.

– Na stos rzuciliśmy swój życia los, na stos, na stos! – zanuciłem mu.

– Ale Niemcy musieli przyznać, że jesteśmy wojskiem! Otrzymaliśmy prawa kombatanckie. To nasze moralne zwycięstwo.

– Tak? Powiedz to swoim zabitym kolegom – odpowiedziałem ostro.

– Też mogłem zginąć, ale polec za ojczyznę to najwyższy honor żołnierza.

– Olek! Na jednego zabitego powstańca przypadało trzynastu cywilów!

I tu kończyły się argumenty mojego przyjaciela.

Nie mieliśmy z Zosią do czego wracać, nasi rodzice zginęli, a nasze domy zostały zburzone, postanowiliśmy więc rozpocząć życie w innym miejscu. Zupełnym przypadkiem moja żona dowiedziała się, że w Ostródzie na Mazurach poszukują nauczyciela muzyki. Pojechaliśmy tam i jako była studentka konserwatorium z miejsca dostała tę posadę. Ja postanowiłem się nie ujawniać, nie miałem złudzeń co do zamiarów nowych władz wobec ludzi takich jak ja. Wyrobiłem sobie lewe papiery i starałem się zbytnio nie afiszować. Dorywczo łapałem jakieś prace, trafiła się taka w gospodzie w Miłomłynie pod Ostródą, co miało znacząco zaważyć na moim losie. Któregoś dnia podsłuchałem rozmowę dwóch mocno podpitych gości, szeptali nachyleni do siebie głowami, ale ten ich szept słychać było chyba nawet na drodze.

– Dziewuche, co jest u Edków, tych spod lasa, ubowcy prowadzili za furmanko z powrozem na szyi, dasz wiarę, że partyzanty jo odbiły... podobno tylko kule świstały...

– A dziewucha do rzeczy?

Pijaczyna wzruszył ramionami.

– Bo ja wiem, przecie nikt jej nie oglądał.

– Może to bajdy, kto by tam człowieka na powróz brał, jak jakie bydle...

Pomyślałem, że jeśli to nie są bajdy, należałoby tych Edków, a tym bardziej dziewczynę ostrzec, że zostali zdekonspirowani. Poradziłem się nawet wieczorem Zosi, a ona przyznała mi rację. Poszedłem do tych ludzi pod lasem, to była typowa mazurska chałupa z czerwonym dachem i wymurowanym gankiem, mocno już podniszczona, tynk płatami odpadał ze ścian. W domu zastałem tylko gospodynię, spytałem ją więc o męża i dowiedziałem się, że rąbie drewno za stodołą. Mężczyzna na mój widok wyprostował się, ale siekiery z ręki nie wypuścił. Chwilę staliśmy tak, sondując się nawzajem. Czułem, że się mnie boi.

– Jestem z gospody Pod Kogutem – odezwałem się pierwszy.

Skinął na to głową.

– Różne rzeczy ludzie gadają, jak sobie podpiją, czasami takie, jakich nie powinni... – Urwałem, czekając na jego reakcję, ale minę miał nieprzeniknioną. Zbierałem się już do odejścia, uważając swoją misję za skończoną, kiedy wyciągnął z kieszeni paczkę papierosów. Usiedliśmy obaj na pieńkach i zakurzyliśmy.

– Wy nie stąd – odezwał się wreszcie.

Skinąłem twierdząco głową.

Mniej więcej po tygodniu Mazur pojawił się Pod Kogutem, usiadł w rogu sali i wyraźnie czekał, aż zostaniemy sami. Sądziłem, że zechce mi jakoś podziękować za ostrzeżenie, ale rzekł:

– Ktoś chciałby się z wami spotkać.

Przebiegło mi przez myśl, że to może być prowokacja, jednak intuicja podpowiadała, że chodzi o tych z lasu.

– Gdzie mam się stawić? – spytałem.

– Ten ktoś przyjdzie do gospody zaraz po zamknięciu, w ten piątek albo w następny.

Przyszedł w następny, tym razem ostrzec mnie, że wybrałem najgorsze miejsce na przeczekanie, bo nieopodal w lasach koczuje jeden z oddziałów wileńskiej AK i w związku z tym pełno tu bezpieki, każdy obcy będzie prędzej czy później prześwietlony od stóp do głów.

– Mam dobre papiery – odrzekłem.

Tylko się na to uśmiechnął. Prawie zobaczyłem jego twarz, usłyszałem głos, jakby to było wczoraj. Był jednym z żołnierzy wyklętych, jak się ich potem nazywało, który przyszedł pomóc koledze – powstańcowi. Widocznie miałem wypisane na czole, kim jestem i skąd przywędrowałem. Nie namawiał mnie, abym do nich przystał, wiedział, że ich walka jest skazana na niepowodzenie, ale wiedział też, że nie mają innego wyjścia. Śmierć czekała ich tak czy siak, więc lepiej wybrać tę z honorem. Ale jeszcze wszyscy troje byliśmy na wolności – ja, partyzant i sanitariuszka o pseudonimie Inka, to ona była „dziewczyną z powrozem", jak ją przezwałem w myślach. Okazało się, że rzeczywiście została ujęta przez UB w okolicach Hajnówki i była prowadzona na powrozie zadzierzgniętym wokół szyi, uwolnił ją patrol wyklętych i tutaj miała kryjówkę, o której ćwierkały wróble na dachu. Więc ona, emisariusz i ja siedzieliśmy w chałupie pod lasem i piliśmy samogon, to znaczy dziewczyna nam tylko towarzyszyła. Była bardzo młoda i miała w sobie coś z siostry zakonnej, brakowało jej tylko habitu. W tym drobnym ciele biło jednak mężne serce, biegała pod kulami po swoich rannych, a i wrogom opatrywała rany.

– Ja bym tym esbeckim sukinsynom dał zdechnąć za to, co ci zrobili – powiedział przybysz.

– Tak nie wolno – odrzekła ze spokojem.

Z takim samym spokojem spojrzała w oczy śmierci, kiedy została aresztowana i po osądzeniu postawiono ją przed plutonem egzekucyjnym. Gdy opowiadałem o niej Feliksowi, stwierdził krótko:

– Morderstwo sądowe.

Jeśli chodzi o kompana od kieliszka, nic nie wiedziałem o jego dalszych losach, ale wziąłem sobie do serca jego przestrogę, prawdę mówiąc nie tyle ja, ile Zosia. Nalegała, abym natychmiast się ulotnił, oddział działający w ostródzkich lasach został otoczony i rozbity. Albo więc zginął, albo został aresztowany i skazany na śmierć. Dla tych ludzi miłosierdzia nie było. Ja zawędrowałem do kaszubskiej wioski i tam przystałem do rybaków. Nawet polubiłem to surowe życie. Kiedy wraz z innymi musiałem walczyć ze sztormem albo zgrabiałymi z zimna rękami wyciągałem z morza sieci, przychodziło mi do głowy, że to zajęcie dla prawdziwego mężczyzny. Dokuczała mi tylko tęsknota za Zosią, rzadko tu przyjeżdżała, aby nie budzić podejrzeń. A potem była ta wpadka, tym bardziej bezsensowna, że UB nie mnie szukało, ale śmiałka, który pod osłoną nocy chciał się kajakiem przeprawić do Szwecji. Został postrzelony przez patrol nadbrzeżny, ale udało mu się zbiec. Wczesnym świtem zarządzono obławę. Przesłuchiwano miejscowych, grożono im, ktoś się wygadał, że obok w wiosce jest taki jeden nie stąd...

Pojawienie się Zosi uruchomiło cały ciąg wspomnień sprzed dwudziestu paru lat, wydawało mi się, że nauczyłem się żyć z dnia na dzień i nie wracać do tego, co bezpowrotnie minęło, ale przeszłość upomniała się o mnie, o nas oboje, i musieliśmy sobie z tym jakoś poradzić.

Kiedy wszedłem na swój strych, w oknach było już jasno, wziąłem więc kąpiel, ogoliłem się. Tego dnia miałem dwa zadania: zadzwonić do pracowni, że biorę wolne, i pójść na spotkanie z Zosią.

Czekała na mnie przed hotelem Victoria, gdzie zwykle goszczono osobistości z wolnego świata. Wydała mi się niższa, niż ją zapamiętałem. Miała na sobie skórzaną kurtkę, wełnianą spódnicę i buty na płaskiej podeszwie, włosy związane z tyłu jakąś wstążką. Wyglądała tak zwyczajnie, że nikt się za nami nie oglądał, kiedy szliśmy w stronę Ogrodu Saskiego.

– Ciągle obawiasz się podsłuchu? – Uśmiechnąłem się.

– To też, ale chciałabym pospacerować po parku, jako dziecko często przychodziłam tam z dziadkiem, karmiliśmy chlebem kaczki... Czy kaczki są tam jeszcze?

– Chyba tak – odrzekłem niepewnie, bo park traktowałem wyłącznie jako ciąg komunikacyjny, gdy szedłem do Feliksa, i raczej nie rozglądałem się za bardzo.

– A fontanna?

– Fontanna jest, stoi!

– To dobrze. – Uśmiechnęła się. – Czasami prześladuje mnie piosenka „W Saskim Ogrodzie koło fontanny jakiś kawaler... coś tam... do panny...". Zapomniałam, jak to szło.

– Może zalecał się?

– Nie, to się nie rymuje.

– Podszedł?

– Już lepiej, ale brzmiało chyba inaczej. Nieważne...

Usiedliśmy na ławce pod starym kasztanowcem, który niemal obejmował nas poskręcanymi konarami, jakby chcąc ukryć przed całym światem.

– Wtedy... ta Kaszubka powiedziała mi, że zacząłeś uciekać i strzelili ci w plecy, przysięgała, że martwego wrzucono na wóz...

– Zawieźli mnie do więziennego szpitala, a potem na Rakowiecką, a jeszcze potem pod sąd. Przesiedziałem do amnestii w pięćdziesiątym szóstym roku...

– A ja wtedy jechałam do ciebie z nowiną, że zostaniemy rodzicami...

– I dojechałaś po dwudziestu latach! Masz może jej zdjęcie?

– Tylko kiedy była mała.

Wyjęła z torebki niedużą, zafoliowaną fotografię. Zobaczyłem dziewczynkę z wielką kokardą na czubku głowy i z naburmuszoną miną.

– Nie jest zadowolona, że ją fotografują. – Uśmiechnąłem się.

– Nasza córka rzadko bywała zadowolona – odrzekła.

– Dlaczego?

– Żeby ci na to odpowiedzieć, muszę zacząć od początku.

I Zosia opowiedziała mi, w jaki sposób udało jej się uciec z Polski. Szczęśliwym trafem mojego aresztowania nie połączono z jej osobą, wzięliśmy ślub kościelny w czasie trwania walk, a wtedy nie było mowy o jakichkolwiek formalnościach. Kiedy Urząd Bezpieczeństwa zaczął się nią interesować jako współwinną wzniecenia powstania i zniszczenia miasta, szwedzki konsul, który dobrze znał ojca Zosi, pomógł jej w wyjeździe za granicę. Czasu było niewiele, bo gdyby dziecko urodziło się tutaj, bardzo by to skomplikowało sprawę. Więc do Warszawy przyjechała kuzynka pana konsula. Wybrano taką osobę, która na fotografii przypominała Zosię, i moja żona wsiadła zamiast niej na pokład samolotu rejsowego do Sztokholmu. Znała dość dobrze angielski, więc gdyby ją o coś zapytano, potrafiłaby odpowiedzieć, a stopień edukacji naszych służb celnych i paszportowych był wtedy na bardzo niskim poziomie i nikogo nie zaniepokoiłby jej akcent. Udało się, następnego dnia ambasada zgłosiła kradzież paszportu „kuzynki".

– Nawet dobrze się stało, że mnie pochowałaś – powiedziałem – bo byłbym dla ciebie kulą u nogi, też by cię w końcu aresztowali, a dziecko poszłoby do sierocińca...

– A może wolałabym wiedzieć, że mój mąż żyje – odrzekła z goryczą w głosie – nawet gdyby mnie mieli aresztować. A dziecku też by ten sierociniec mógł wyjść na zdrowie, może inaczej by to teraz wszystko wyglądało...

Po policzkach ciekły jej łzy, a mnie zabrakło odwagi, aby ją przytulić, nie wiedziałem też, czy ona by tego chciała. Kiedy się wreszcie uspokoiła, spytałem:

– A jak znalazłyście się w Niemczech?

Rodzina konsula przejęta była sytuacją Zosi, pomagali jej, jak mogli. Piątego marca tysiąc dziewięćset pięćdziesiątego trzeciego roku w jednym ze sztokholmskich szpitali przyszła na świat nasza córka. Anna miała trzy latka, kiedy konsul zaprosił na obiad słynnego niemieckiego dyrygenta, Manfreda Meiera. Poproszono Zosię, aby coś zaśpiewała, a on zachwycił się jej głosem i zaofiarował, że zajmie się jej edukacją. Ściągnął ją z córką do Berlina, zamieszkały u niego i jego żony w willi w eleganckiej dzielnicy Charlottenburg. Początkowo układ był jasny, nauczyciel i uczennica. Ale potem profesor Meier, mimo że dzieliło ich ponad trzydzieści lat, zakochał się w Zosi i wystąpił o rozwód. A ona? Jej było wszystko jedno...

– Jak to było ci wszystko jedno? – spytałem głosem pełnym emocji. – Życie ze starym facetem?

– Dla mnie najważniejsza była muzyka, to był mój świat...

– Miałaś dziecko!

– Wiem, czuję się winna, że ona stała się taka... Nigdy sobie tego nie wybaczę!

– Dlaczego jest w więzieniu?

– Nie potrafię ci odpowiedzieć jednym zdaniem, trafiła tam za przekonania polityczne.

– Przekonania polityczne? – Byłem naprawdę zdumiony.

– Wiesz, co to jest RAF?

– Zdaje się Czerwone Brygady? – odrzekłem niepewnie.

– Frakcja Czerwonej Armii. Związała się z nimi, a ja nie zainterweniowałam w porę... Rzadko bywałam w domu, Manfred już nie żył, a Anka przebywała głównie z gosposią, która zresztą zwracała mi uwagę, że gdy mnie nie ma, w domu pojawia się dziwne towarzystwo...

To, w co się wplątała moja córka, okazało się naprawdę groźne. Nie udowodniono jej bezpośredniego udziału w akcjach terrorystycznych, ale za wspomaganie tego ruchu dostała wyrok dwudziestu lat więzienia. Pomyślałem wtedy, że to nasze geny, w każdym pokoleniu ktoś z rodziny lądował bowiem za kratami, a wyroki dotyczyły zakazanej działalności politycznej. Ale jeśli idolką mojej córki stała się osławiona terrorystka Ulrike Meinhof, to było to jednak wyłamaniem się z tej tradycji.

Do tej pory niezbyt interesowałem się podobnymi grupami, co mnie mogły obchodzić fanaberie buntowników bez powodu – poza oczywiście słynną sprawą porwania i zamordowania Aldo Moro – natomiast Feliks pasjonował się polityką i na pewno mógł mi więcej powiedzieć, niżbym wyczytał z krótkich encyklopedycznych wzmianek. Nie pomyliłem się, zrobił mi na ten temat cały wykład.

– Zaczęło się, proszę ja ciebie, od ruchów studenckich w Europie Zachodniej, we Włoszech młodzież ogłosiła: my nie wysuwamy żadnych żądań, nie chcemy żadnych delegacji, żadnych rokowań, żadnego dialogu. Nasza walka nie ma żadnego celu, jest ona celem samym w sobie. Podważają – ciągnął Feliks – nie tylko podstawy społeczeństwa kapitalistycznego, ale całą cywilizację przemysłową. Krzyczą: społeczeństwo konsumpcji musi zginąć gwałtowną śmiercią. Takie rzeczy można było wyczytać na ulotkach we Francji, no ale tego się nie osiągnie legalnymi, demokratycznymi metodami, więc ich zdaniem skuteczna może być jedynie walka tocząca się na ulicach i w miejscach pracy, a nie w lokalach wyborczych...

– To jakiś trockizm!

– Ciepło, ciepło – odrzekł mój przyjaciel. – Mam trochę materiałów, bo mnie to, nie powiem, interesuje. Ale sprawa waszej córki brzmi tak nieprawdopodobnie. Nie wydaje ci się, że Zosia wymyśliła tę historię, aby zrobić na tobie wrażenie? Artyści miewają różne dziwne pomysły.

– Nie sądzę. To zbyt poważne.

– Już wyjechała?

Potwierdziłem skinieniem głowy.

– I do czego doszliście? Zamierzacie się ponownie zejść?

Spojrzałem na niego zaskoczony.

– Jak to sobie wyobrażasz?

Feliks się uśmiechnął.

– Nie ja to sobie mam wyobrażać, tylko wy. Ty jesteś wolny, ona też, macie dziecko...

– Ale między nami jest dwadzieścia lat rozłąki i wszystko to, co się w tym czasie wydarzyło, głównie w jej życiu, bo my tutaj nie żyjemy naprawdę, my wegetujemy.

– O, przepraszam – zaprotestował. – Może jesteśmy ubodzy ciałem, nosimy ciuchy z domów towarowych i buty, które rozpadają się po jednej zimie, ale co do ducha...

– Przestań, Feliks, moje życie stanęło na głowie, a ty mi tu pleciesz androny.

Bezradnie rozłożył ręce.

– No przecież cały czas cię pytam, na czym stanęło.

– Właściwie na niczym, Zosia się spieszyła, wkrótce miała samolot. Obiecała się ze mną skontaktować...

– Żebyście się tylko znowu nie pogubili.

– Trudno byłoby Zosi się teraz zgubić z jej nazwiskiem.

– Pojedziesz do niej?

– Jak dostanę paszport, być może.

– Rozmawialiście o tym?

– Rzuciła coś takiego.

Feliks zamilkł, chyba wyczerpał limit pytań, a ja, już wychodząc, spytałem:

– Pamiętasz taką piosenkę „W Saskim Ogrodzie koło fontanny jakiś kawaler...".

– No, pamiętam – odrzekł ze zdziwieniem.

– To jak to idzie dalej?

– Co?

– Ten kawaler, co on robi?

– Zaleca się.

– Ale żeby było do rymu, „W Saskim Ogrodzie koło fontanny jakiś kawaler...".

– „Jakiś się frajer przysiadł do panny".

– O to mi właśnie chodziło!

Feliks popukał się w czoło, a ja, zamykając za sobą drzwi, uśmiechnąłem się pod nosem. W domu zasiadłem nad teczką z wycinkami, którą od niego dostałem. Starałem się zrozumieć, co tak zafascynowało w tych ludziach moją nieznaną córkę, że poszła za nimi.

Powstanie Frakcji Czerwonej Armii miało być protestem przeciw faszyzacji Niemiec. Z komunikatu założycielskiego można było się dowiedzieć, że dla jej członków tym faszyzmem był demokratyczny system Republiki Federalnej i rząd Helmuta Schmidta, który nazywano faszystowsko-kapitalistycznym. Czyli byli naziści z Bonn, syjoniści z Tel Awiwu, ich wróg został zdefiniowany bardzo szeroko... Chyba machnąłbym na to ręką, uważając za zupełny bełkot, gdyby nie to, że oni w swoich działaniach okazywali się nadzwyczaj skuteczni – ginęli ludzie. Muszę powiedzieć, że bardzo mnie to przygnębiło. Przyjrzałem się też sylwetce Ulrike Meinhof, bo to ona wciągnęła moją córkę w pułapkę. Zosia powiedziała, że ta Niemka była dla Ani wzorem do naśladowania. No tak... oczywiście, bardzo wykształcona, studia filozoficzne, socjologiczne, germanistyka, rodzice inteligenci, ojciec nauczyciel, dyrektor muzeum, matka historyk sztuki... Tylko z takiej pozycji można wymyślać różne, najbardziej fantastyczne teorie. Tym z nizin, jeśli się buntują, zwykle chodzi o chleb powszedni, i to jest jakoś zrozumiałe, ale intelektualiści ze swoimi wizjami, jak ma wyglądać świat, są naprawdę groźni. Faszyzm pod rządami Helmuta Schmidta! Wysłać ich do Moskwy, a najlepiej do łagru na dalekiej Syberii, żeby przekonali się, jak może wyglądać piekło na ziemi, jak się zamyka ludziom usta. A pani Meinhof udziela wywiadu francuskiemu dziennikarzowi i stwierdza: „My mówimy: gliniarze to świnie, mówimy: typ w mundurze to świnia, a nie człowiek, i dlatego się z nim spieramy. To znaczy my z nikim nie rozmawiamy i byłoby błędem z takimi ludźmi rozmawiać, oczywiście można ich zastrzelić!". No i koniec dyskusji!

Dwa tygodnie po wyjeździe Zosi otrzymałem od niej list:

> Kochany Jerzy,
> tyle lat rozmawiałam z Tobą umarłym, że teraz jest mi trudno przestawić swoje myślenie. Nasze spotkanie to ogromna radość, ale i ból, i żal, że nas rozdzielono, nie dając możliwości życia w rodzinie. Możesz pomyśleć, że znalazłam sobie inną, ale tak nie było. Zrobiłam to dla Ani, żeby miała dom, ale jak widać, też się nie udało. Nawet za życia Manfreda nie zaistniało to, co się nazywa domowym ogniskiem. Ja i on byliśmy ciągle w podróży, naszą córką zajmowały się kolejne opiekunki, dopóki nie pojawiła się Fredzia, Ślązaczka, która została na dłużej, jest zresztą do tej pory, ale na zasadzie domownika, wiek już nie ten, podupadła też na zdrowiu.
>
> Początkowo nie miałam z Anią problemów, była grzecznym dzieckiem, dobrze się uczyła, w jej pokoju panował wzorowy porządek: książki ustawione na półce, zabawki w pudełkach.

Potem zaczął się trudny okres dojrzewania, a mnie przy tym nie było. Kiedy pojawiałam się w domu, słyszałam na nią same skargi. Przeżywała fascynację amerykańską grupą muzyczną The Doors i całymi dniami słuchała ich muzyki, co Fredzia nazywała strasznym hałasem. Anka zaczęła się też inaczej ubierać, cała na czarno, bluza, spodnie, wojskowe buty, włosy krótko ścięte i napomadowane, ostry makijaż... Chwilami trudno mi było w niej rozpoznać własną córkę. Kiedy idol tej grupy zmarł tragicznie, przeżyła okres załamania, próba samobójcza, podcinanie żył, ale na szczęście nie okazało się to groźne dla życia. Byłam wtedy w domu i zawiozłam ją na pogotowie. Podobne fascynacje przeżywa większość nastolatków, ale u niej przebiegało to nader burzliwie. Któregoś dnia, kiedy ćwiczyłam „gamy", jak to określała Fredzia, Anka wpadła do mojego pokoju z awanturą, że nie zniesie dłużej mojego wycia. Odpowiedziałam jej, że skoro ja znoszę wycie jej ulubieńców, ona musi znosić moje, a między nami jest taka różnica, że ona słucha tego dla przyjemności, a dla mnie to ciężka praca. Chyba jakoś to do niej dotarło i dyskusje na ten temat się skończyły.

Potem zdała na studia na dziennikarstwo i nabrałam nadziei, że jako studentka wejdzie w inne środowisko, wydorośleje. No i weszła w inne środowisko, ale nie takie, jakiego bym sobie życzyła. Spiknęła się z tą Meinhof, która ma talent do wyszukiwania ludzi o chwiejnym charakterze, aby móc uczynić z nich posłusznych wyznawców swoich obłędnych teorii, aby móc nimi manipulować. Nasza córka się do tego idealnie nadawała, a poza tym willa, otoczona murem, rzadko odwiedzana przez znajomych, mogła im posłużyć jako idealny punkt kontaktowy. Fredzia już od drzwi meldowała mi, że przychodzą tacy dziwni osobnicy, niby w cywilu, a jakby wojskowi, bała się, że poniszczą buciorami podłogi. Szczególnie jeden zaczął zostawać na noc. „Śpią ze sobą, pani Ewo – mówiła z obrzydzeniem. – On goły chodzi, tylko w ręczniku, mnie to ma za nic". W taki sposób się dowiedziałam, że moja córka stała się kobietą. Próbowałam z nią o tym porozmawiać, ale się wszystkiego wyparła, twierdząc, że to kolega ze studiów raz jeden przyszedł się wykąpać, bo w akademiku była awaria i zamknęli wodę. Oczywiście kiedy ja byłam w domu, to towarzystwo znikało, więc trwałam w swojej niewiedzy, kim są ci ludzie, do dnia, gdy po powrocie z tournée po Ameryce Południowej weszłam do pokoju Anki. Przywiozłam jej ręcznie tkany płaszcz z haftami ukazującymi w obrazkach całą historię argentyńskich Indian. Chciałam jej zrobić niespodziankę, otworzyłam więc szafę i znalazłam tam wypchaną torbę, a w niej równo ułożone banknoty w banderolach. Od razu skojarzyłam to z napadem RAF na bank, świat zawirował mi przed oczami, bo zrozumiałam, w co ona się wplątała. Po namyśle udałam się do brata Manfreda, który jest znanym adwokatem, aby mi poradził, co mam z tym zrobić. Po długiej dyskusji doszliśmy do wniosku, że należy ten fakt zgłosić władzom, przedtem zapewniając Annie status świadka koronnego, a co się z tym wiąże, zmianę tożsamości i ochronę. Liczyłam się z tym, że możemy się długo nie zobaczyć albo nawet nigdy, ale tu przecież chodziło o jej życie. Rudolf rozmawiał z policją i ustalił warunki ugody. W naszej willi założono podsłuch. Na czas operacji wszyscy domownicy musieli zniknąć z domu. Pomyślnym zbiegiem okoliczności w Berlinie miał wystąpić znany zespół muzyczny Led Zeppelin, na którego koncert bez problemu dało się namówić Ankę. Umówiliśmy się z Rudolfem, że załatwi bilety na ten koncert i będzie Ani towarzyszył, a ja w tym czasie wybiorę się z Fredzią do kina. Nie było to łatwe zadanie, bo Fredzia niespecjalnie lubiła gdziekolwiek wychodzić. W kinie, zamiast śledzić fabułę, przez cały czas zastanawiałam się, jak potoczy się teraz nasze życie, czy Ania potrafi mi wybaczyć. Byłam pewna, że poczuje się przeze mnie zdradzona. Kiedy film się skończył, nie mogłyśmy od razu wrócić do domu, usiadłyśmy więc w pobliskiej kawiarni, gdzie miał nas odnaleźć Rudolf. Gdy zobaczyłam go w drzwiach, wiedziałam od razu, że sprawy potoczyły się inaczej, niż było zaplanowane. Kiedy tylko opuściłyśmy willę, dwóch członków RAF przyszło po torbę z pieniędzmi, mieli klucz od drzwi wejściowych. Wywiązała się strzelanina, jeden z terrorystów został ciężko ranny, drugiemu udało się zbiec. Rannym okazał się ukochany naszej córki, po kilku godzinach zmarł w szpitalu, a ją aresztowano zaraz po wyjściu z hali koncertowej. Władze nie dotrzymały umowy, tłumacząc, że terroryści i ci, którzy im pomagają, nie zasługują na żaden akt łaski. Rudolf podjął się obrony Anki, myślę, że to tylko dzięki jego stosunkom nie dostała dożywocia. Przekazała mi przez Rudolfa, że nie uważa mnie już za swoją matkę i nie życzy sobie ani moich odwiedzin w więzieniu, ani obecności na procesie. Siedzi w zakładzie w Stammheim, pod Stuttgartem, już cztery lata, nic właściwie o niej nie wiem, kim jest teraz, co myśli.

Muszę Ci jeszcze napisać o czymś, co od lat jak kamień ciąży mi na sercu. Opuszczałam ojczyznę bardzo zraniona, z jednej strony miałam poczucie winy, że uczestniczyłam w zrywie, który od początku skazany był na przegraną, zostawiałam za sobą groby i zrównane z ziemią rodzinne miasto, z drugiej zaś poznałam najgorsze z możliwych cechy ludzi, którzy mienili się Polakami i nosili polskie mundury. To oni zabili mi męża, tak wtedy myślałam, a naród milcząco godził się na prześladowania, tortury i w efekcie śmierć najlepszych z Polaków. Nie chciałam być razem z nimi, więc kiedy Manfred zaproponował mi małżeństwo, chętnie przyjęłam jego nazwisko, zmieniłam nawet imię, aby nic mnie już nie łączyło z przeszłością. Nie przyznawałam się, że jestem Polką. Manfred dał nazwisko także Ance. Początkowo miałam zamiar powiedzieć jej, gdy podrośnie, kim był jej ojciec i co się z nim stało, ale ona jakoś o to nie pytała, a ja odwlekałam tę rozmowę i w końcu uznałam, że jest już za późno. Lepiej dla niej, że nie ma żadnych związków z tym zniewolonym krajem. Dość niechętnie obserwowałam jej eskapady z grupą studentów do Berlina Wschodniego, ale uważałam, że to jest jak młodziencza choroba, z której się wyrasta.

Ja tam nie chciałam jeździć. Dopóki mogłam dyktować warunki, nie przyjmowałam zaproszeń z żadnego kraju za wschodnią granicą, także z Warszawy ani z innego polskiego miasta.

Teraz sytuacja się zmieniła, zaczynam tracić głos i staje się to coraz bardziej widoczne dla obserwatorów, czekam tylko, kiedy jakiś krytyk napisze, że mój śpiew przypomina dźwięk wiertła dentystycznego. Tak napisano o Callas, do której kiedyś byłam porównywana. Możliwe, że dosięgła mnie jej klątwa... Ale takie są prawa muzycznej giełdy, tam jest się tylko towarem. Wiedziałam jednak, że nic nie trwa wiecznie. Nie musisz wysłuchiwać mojego użalania się nad sobą. Teraz największym dramatem jest to, że moja córka nie wie, kto był jej prawdziwym ojcem. Dla niej był nim Manfred, poświęcał jej o wiele więcej czasu i uwagi niż ja. Podczas świąt i w wakacje bawił się z nią, zabierał na wycieczki, potem grywali razem w tenisa. Myślę, że już domyślasz się, co Ci chcę napisać: nasze dziecko uważa się za Niemkę i nie mówi po polsku.

Jeśli możesz mi wybaczyć! Będę czekała.

Twoja Zosia

Odłożyłem list z uczuciem zamętu w głowie, to była jakby trzecia odsłona naszego życia, tyle że trudno powiedzieć, aby było ono wspólne. Wieloletnia przerwa mogła okazać się śmiertelna dla naszego związku, mogła, nie musiała, ale to, czego dowiedziałem się z listu mojej żony – nie wiem nawet, czy mogę ją tak nazywać, przecież miała też innego męża, nosi jego nazwisko – dawało do myślenia. Może w świetle prawa nie popełniła bigamii. A prawo boskie? Tu też nie zawiniła przecież, działała nieświadomie... Ale pozwoliła, żeby ktoś przywłaszczył moje dziecko... Nie potrafiąc sobie znaleźć miejsca, zawędrowałem do Feliksa i bez słowa wręczyłem mu list.

– Co to? – spytał.

– Zośka napisała.

– Do mnie? – Był naprawdę zdziwiony.

– Nie do ciebie, ale chciałbym, abyś przeczytał, bo... za chwilę coś mnie rozerwie od środka.

– Nie wypada czytać cudzych listów... – bronił się. – Powiedz mi, co tam jest.

– Czytaj! Bo będziesz musiał wzywać karetkę!

Feliks przyjrzał mi się uważnie, potem włożył okulary i zabrał się do lektury.

– I co cię tak zbulwersowało? – spytał, podnosząc na mnie wzrok. – Ona ci to wszystko już opowiedziała.

– Nie wspomniała tylko, że jakiś Niemiec ukradł mi dziecko!

– Na tym poziomie nie będę się wypowiadał – uciął.

– Takie są fakty, moja dorosła córka nie wie, że jestem jej ojcem.

– To się dowie, w swoim czasie – odrzekł ze spokojem.

– Za kilkanaście lat, jak wyjdzie z więzienia? Kto mnie do niej dopuści! Obcego faceta, w dodatku Polaka!

– Wiele się jeszcze może zmienić, władze federalne, kiedy uporają się z terrorystami, a RAF jest teraz w rozsypce, złagodnieją, wtedy będzie można wrócić do sprawy świadka koronnego. Ten adwokat pewnie to wykorzysta.

– Zawsze byłeś optymistą – powiedziałem już spokojniej, przyjacielowi udało się ugasić pożar, zacząłem myśleć bardziej racjonalnie.

Feliks zaparzył kawę, przyznałem mu się, że po przeczytaniu listu, który nadszedł w porannej poczcie, wypadłem z domu bez śniadania.

– Jak ja się z tą swoją córką porozumiem – odezwałem się rozżalonym tonem. – Słabo znam niemiecki...

– Ja znam bardzo dobrze. – Na widok mojej miny Feliks się roześmiał. – Nie bój się, na pewno ci jej nie odbiorę, ty jesteś ojcem!

Przez kilka kolejnych dni biłem się z myślami, co mam odpisać Zosi. Z jednej strony rozumiałem jej argumenty, to, że chciała odciąć się od przeszłości, tak bolesnej przecież, ale dlaczego wybrała właśnie ten kraj, tego człowieka, ten język... A gdyby wybrała inny i stała się Włoszką lub Francuzką, czy byłoby mi przez to lżej? Na swoją obronę miała to, że niewiele wtedy od niej zależało. Znalazła się z maleńkim dzieckiem na łasce obcych ludzi, mnie przy nich nie było, nie mam więc prawa robić jej z tego powodu wyrzutów. Ale nauczyć córkę polskiego mogła, włączył się jakiś wewnętrzny głos. I to była jedyna pretensja do niej, jaką zawarłem w liście.

Zosia bardzo szybko mi odpisała, dziękując, że się odezwałem. Podobno kiedy czytała mój list, łzy zamazywały litery, a nie płakała od czasu opuszczenia Polski. Może to prawda, a może nie, jak to powiedział Feliks, artyści mają różne dziwne pomysły...

2

Któregoś dnia usłyszałem w domofonie kobiecy głos, okazało się, że Zosia coś mi przesyła przez swoją znajomą. Była to niemłoda już pani, elegancko ubrana, spieszyła się, tak że niemal siłą zatrzymałem ją na kawę. Z rozmowy zorientowałem się, że nic nie wie o drugim życiu swojej przyjaciółki. Była Polką od lat mieszkającą w Berlinie i żoną niemieckiego korespondenta.

– Dziwne, nawet gdy jesteśmy same, Eva nie chce mówić po polsku – poskarżyła się.

– Może doskonali język – starałem się ją usprawiedliwić, ale zrobiło mi się jakoś przykro.

– Ania chyba nawet nie mówi po polsku, ale ojciec Niemiec, to jeszcze można zrozumieć.

– Dobrze zna pani Anię?

Kobieta zawahała się, pewnie zapaliło jej się w mózgu ostrzegawcze światełko, że to nie najlepszy pomysł przyznawać się do znajomości z kimś, kto odsiaduje wyrok za terroryzm.

– Gdy była mała, to się z nią czasem bawiłam, bo Eva mi ją podrzucała, ale potem weszła w złe towarzystwo, nie wiem, czy pan się orientuje...

Skinąłem twierdząco głową.

– A jaka była w dzieciństwie?

Kobieta uśmiechnęła się.

– No, charakterek to ona miała zawsze, jak sobie coś wymyśliła, trudno ją było od tego odwieść, ale tak to była słodka, jak to małe dziecko... Przylepa, kiedy tylko do nich przychodziłam, wskakiwała mi na kolana.

– Brakowało jej, widać, matki, pani Eva ciągle w podróży.

– Oj tak – zgodziła się ze mną. – Eva w ogóle nie jest taka, co to przytuli, pocałuje, i dziecko to odczuwało.

Pamiętałem Zosię jako kochającą, ciepłą osobę. Nasze życie w pokoiku na poddaszu w szkolnym budynku w Ostródzie wyglądało inaczej, byliśmy młodzi, spragnieni siebie. Mieliśmy co prawda łóżko z niemiłosiernie skrzypiącymi sprężynami, ale żartowaliśmy sobie z tego, nocą nikt nas nie słyszał.

Ta przesyłka to był dziennik, który Zosia prowadziła latami. Bała się wysyłać pocztą, więc zaangażowała w to znajomą. Dołączyła też list, w którym wyjaśniła, dlaczego zdecydowała się przesłać mi tak intymne zwierzenia. Pragnęła, abym choć trochę ją zrozumiał, jednocześnie prosiła o ominięcie pospinanych stron. Nie bardzo wiedziałem, jak taką prośbę potraktować, miałem nawet ochotę odesłać jej dziennik, ale poczta nie wchodziła przecież w grę. Po kilku dniach, kiedy emocje opadły, sięgnąłem po pierwszy zeszyt.

Sztokholm, 2 marca 1953 roku

Państwo J. są wobec mnie nadzwyczajni, ciągle dopytują, czy czegoś mi nie potrzeba, a ja chciałabym jednego – aby Jurek stanął w drzwiach i powiedział: „Pakuj się, wracamy do domu". Jego nie ma i domu też nie ma. Jestem tylko ja i to dziecko we mnie coraz gwałtowniej przypominające o sobie. Chce się już wydostać na świat, ale gdybym mogła, zatrzymałabym je jak najdłużej w swoim brzuchu. Boję się przyszłości, która jest wielką niewiadomą. Teraźniejszość to ten niewielki pokoik wyklejony tapetą w kwiatki, przez który nocami jak struga krwi płynie moja przeszłość. Jeśli jej w porę nie zatamuję, wykrwawię się na śmierć, ale czyż to nie jest sposób, aby dołączyć do swoich bliskich? Do Jurka, tatusia, mamy. Jaka ja byłam szczęśliwa, kiedy byli ze mną, i jak tego nie doceniałam! W Ostródzie zrobiłam Jurkowi awanturę, że wszedł na chodnik w zabłoconych butach, a on mnie jeszcze przepraszał! Za co ty mnie przepraszałeś, kochany, uczyniłeś mnie najszczęśliwszą z kobiet, poznałam, czym jest miłość, jak śpiewała Ordonówna, „do końca, do dna". Podśmiewaliśmy się z niej, że jest sztuczna w tych swoich pozach, minach i kapeluszach, ale wyśpiewała prawdę. Jednak teraz nie powie mi, co zrobić, kiedy się spotkało kogoś na całe życie, a ten ktoś odszedł. Można tylko podążyć za nim i gdyby nie to dziecko, tak bym uczyniła. Dziecko należy kochać, więc dlaczego się go boję i wolałabym, aby go nie było. Jaką ja będę matką?

Nie musiałbym już dalej czytać, aby wiedzieć, jak się w przyszłości ułożą losy matki i córki. W miarę lektury znajdowałem potwierdzenie swoich przeczuć. Może nie było tak, że Zosia nie kochała Ani, ale kochała ją źle, ciągle się usprawiedliwiając sama przed sobą, że brakuje jej czasu na zajęcie się dzieckiem, bo premiera we Florencji, w Wiedniu, w Nowym Jorku. Odniosłem takie wrażenie, że ona stale uciekała, tylko nie do końca wiedziała przed czym. Utracona miłość do mnie stała się punktem odniesienia dla całego jej późniejszego życia. A przecież byliśmy ze sobą krótko, zaledwie kilka lat. Ja co prawda z nikim się nie związałem, ale nie wiem, czy nie wynikało to z wewnętrznego lenistwa. Nosiłem na palcu ślubną obrączkę i to było moje alibi dla świata. Na pewno kochałem swoją żonę, ale jako najpiękniejsze wspomnienie młodości. Z Feliksem było inaczej, on i Sabinka pobrali się zaraz po maturze, razem działali w konspiracji, byli nierozłączni. Ich miłość okrzepła, sprawdziła się, w czasie powstania walczyli w innych dzielnicach, widziałem ich, jak się żegnali, wyruszając każde na swój punkt. Mieli się już nigdy nie spotkać, a Feliks został wiecznym wdowcem. Na ścianie w jego niewielkim mieszkanku wisi portret Sabinki, na którym ona tak ładnie się uśmiecha. Dopiero po latach dostrzegłem, że trzyma w ręku wrzosy. Mimo że z przyjacielem nie mamy przed sobą tajemnic, nigdy go nie spytałem, czy miewał jakieś przygody, ale nigdy nie widziałem go też z żadną kobietą. To był temat tabu, jeśli chodzi o niego, ja nie ukrywałem flirtów czy też krótkotrwałych związków. On nawet robił mi wyrzuty z tego powodu, uważał, że powinienem założyć rodzinę, mieć dzieci.

– To patriotyczny obowiązek – powtarzał. – Trzeba się rozmnażać w naszym zdziesiątkowanym pokoleniu!

– A jak Zośka się odnajdzie? – odpowiadałem.

Z latami stawało się to coraz mniej prawdopodobne, aż obaj przestaliśmy w to wierzyć. A teraz nagle dowiedziałem się, że moja żona żyje, i do tego jestem ojcem młodej kobiety, która znalazła się w dramatycznej sytuacji, więc powinienem jej pomóc. Tylko jak miałbym to zrobić?

– Czekać – powtarzał Feliks. – Jedyne, co pozostaje, to droga sądowa.

Zosia zawiadomiła mnie, że przyjedzie na festiwal muzyczny w Łańcucie, i spytała, czy mógłbym również tam być. Ucieszyłem się, że znów się zobaczymy, ale poczułem też niepokój, ciągle nie potrafiłem rozstrzygnąć, czym dla mnie było nasze spotkanie. Przypominało trzęsienie ziemi, to pewne, spotykaliśmy się przecież na gruzach naszego wspólnego życia. Co miało z tego wyniknąć, nie wiedziało chyba żadne z nas.

Jadąc do Łańcuta, odczuwałem tremę jak aktor, który nie pamięta roli, a za chwilę będzie musiał wyjść na scenę. Scenografia tego spektaklu miała być niezwykła. Zamek na wzgórzu, sięgający swoją historią czasów średniowiecza – to tam co roku w maju odbywały się festiwalowe koncerty. O tej porze miasto tonęło w świeżej zieleni, pachniały kwiaty, co mnie, zamkniętego w murach warszawskiej Starówki, wręcz oszałamiało. Dla Zosi wynajęto z pewnością apartament w najelegantszym hotelu w mieście, ja zatrzymałem się w domu wycieczkowym PTTK, który mieścił się w dawnym klasztorze Dominikanów, więc mój pokój przypominał bardziej miejsce do medytacji niż hotelowe wnętrze, ale to sobie raczej chwaliłem. Ledwie zdążyłem się rozlokować, zapukała pokojówka z informacją, że w recepcji jest do mnie telefon, Zosia zapraszała mnie na obiad w Hotelu Zamkowym, który – jak sama nazwa wskazuje – mieścił się w murach zamku. Szedłem na spotkanie z kobietą, o której właściwie nic nie wiedziałem. Z tamtą Zosią nie mieliśmy przed sobą tajemnic, rozumieliśmy się bez słów, wystarczyło spojrzenie, uśmiech, teraz odczuwaliśmy wobec siebie skrępowanie i chyba poczucie winy z tego powodu. Myślę, że właśnie dlatego ona tu przyjechała. A ja... najchętniej kupiłbym bilet powrotny do Warszawy. Nie da się zawrócić biegu rzeki, tak samo jak cofnąć czasu...

W restauracji podszedł do mnie zażywny jegomość w białej marynarce i muszce pod szyją i spytał o rezerwację, a kiedy wymieniłem nazwisko Zosi, cały się rozpromienił.

– Pan szanowny pozwoli! – oświadczył, prowadząc mnie do stolika w rogu sali pod okazałą palmą. – Tu powinno być państwu wygodnie, powiadomię panią Meier o pańskim przybyciu.

Zanim odszedł, zaproponował mi aperitif, nie odmówiłem. Było już sporo gości, dobiegały mnie urywki rozmów w różnych językach, brzęk sztućców, kelnerzy uwijali się jak w ukropie. W pewnej chwili zobaczyłem Zosię, stanęła w drzwiach, rozglądając się bezradnie. Na jej widok coś we mnie drgnęło, jakby przypomnienie dawnej bliskości, wystarczył jej znajomy ruch odgarnięcia włosów. Wstałem z miejsca i wtedy mnie zobaczyła, szła w moją stronę z uśmiechem, a na powitanie pocałowała w policzek.

– Długo czekasz?

– Chwilę.

– Która trwała dwadzieścia lat – odrzekła.

Kelner przyniósł karty.

– A co pan nam poleca? – zapytała Zosia.

– Wszystko, *madame* – odparł, schylając usłużnie głowę. – Prowadzimy kuchnię staropolską, według receptur kucharzy jaśnie państwa księstwa Lubomirskich. Osobiście proponowałbym krem porowy, wyśmienicie się dziś udał, a na drugie pierś bażanta w sosie jałowcowym.

– Sos jałowcowy? Nie znam – zainteresowała się Zosia, a kiedy się oddalił, rzekła do mnie: – Ciekawe, czy tę *madame* to on wymyślił.

– Chciał być grzeczny – stanąłem w jego obronie.

– O tak, i udało mu się. – Parsknęła śmiechem.

Do obiadu podano wino i miało to na mnie zbawienny wpływ, bo po kilku kieliszkach ustąpiło napięcie, jakie odczuwałem w całym ciele. Zosia zaledwie umoczyła usta, wieczorem czekał ją występ przed publicznością. Spytałem, czy po tylu latach jeszcze odczuwa tremę.

– Zawsze, to jest wpisane w mój zawód – odpowiedziała.

Potem za radą kelnera przenieśliśmy się do kawiarni, która mieściła się tuż obok, w oranżerii, gdzie królowały różnokolorowe storczyki. Zdaje się, że to miejsce nazywano nawet storczykarnią. Do kawy podano nam po kawałku domowego ciasta ze śliwkami.

– Naprawdę zapachniało domem – powiedziała Zosia. – Dobrze, że przyjechałam tu na tak krótko, bo moja talia byłaby już w prawdziwym niebezpieczeństwie.

– Świetnie wyglądasz – odrzekłem.

– Przecież wiemy, że jestem gruba, ale śladem mojej wielkiej koleżanki nie będę starała się schudnąć za wszelką cenę.

– To chyba rozsądne.

– Może jednak po takim obiedzie pójdźmy spacerować. Dobrze powiedziałam?

– Niezupełnie.

– A jak ty byś powiedział?

– Pójdźmy na spacer albo nawet chodźmy...

– No tak... – Uśmiechnęła się smutno. – Tłumaczę sobie teraz w głowie z niemieckiego na polski, nie myślałam, że tak się kiedyś stanie... Ale chodźmy już na ten spacer.

Było ciepłe popołudnie, śpiewały ptaki, wszędzie dokoła coś kwitło. Idąc obok Zosi, doznałem uczucia przeniesienia w czasie, jakby nie było tych wszystkich lat, które spędziliśmy bez siebie. Wiedziony nagłym impulsem wziąłem ją za rękę, ale jej dłoń zesztywniała. Nie wiedziałem, jak mam się zachować, z niezręcznej dla obojga sytuacji wybawiła nas ławka, którą właśnie mijaliśmy.

– Usiądziemy? – spytała, uwalniając dłoń.

Dość długo siedzieliśmy w milczeniu. Odezwała się pierwsza:

– To wszystko jest takie trudne... Próbuję się jakoś w tym odnaleźć, ale nie jestem już przecież tamtą młodą kobietą, to tylko wspomnienie, jednak w sprawie naszej córki... Masz prawo do pytań...

– Nie wiem, o co mam pytać, dość szczegółowo opisałaś waszą sytuację...

Pokręciła głową.

– Tego się nie da opisać, nie widziałam jej od czterech lat, co się z nią dzieje, wiem od Rudolfa, brata mojego... partnera. Twierdzi, że Anka dobrze znosi więzienie, dorobiła sobie teorię, że cierpi za słuszną sprawę, przebywa tam też jej duchowa przewodniczka, ta Meinhof, co dla naszej córki jest powodem do dumy, że dzielą ten sam los, a dla mnie to koszmar, jak zły sen, z którego nie mogę się obudzić.

– Czy istnieje szansa, abym mógł się z nią zobaczyć?

Znowu pokręciła głową.

– Poza tym ona nic o tobie nie wie, a wytłumaczyć jej w ciągu krótkiego czasu, dlaczego cię w jej życiu nie było, jest niemożliwością... No i to, że nie mówicie w tym samym języku...

Nie mogłem nie przyznać jej racji.

Zosia wróciła do hotelu, chciała odpocząć przed koncertem, a ja włóczyłem się po mieście. Myślałem, że bilans mojego życia wygląda na mocno ujemny, miałem żonę, która tak naprawdę nie była moją żoną, i córkę, o której nie wiedziałem nawet, jak wygląda. Los rozdał za nas karty, nie pytając o zdanie, dlaczego więc urządził nam teraz tę schadzkę? Do tej pory może i nie żyłem pełnią życia, ale przynajmniej miałem spokój, który teraz został doszczętnie zburzony. I co dalej? Ani ja, ani Zosia tego nie wiedzieliśmy. Jedno było pewne, nie mogliśmy udawać, że jesteśmy dawnymi znajomymi, którzy przypadkowo spotkali się na ulicy i po wymianie uprzejmości rozejdą się w dwie różne strony, ale żyliśmy w dwu światach tak do siebie nieprzystających, że chwilami stawało się to aż humorystyczne. Był rok tysiąc dziewięćset siedemdziesiąty szósty i w Polsce zaczynały się niepokoje społeczne, co z pewnością nie wróżyło nic dobrego. Do Łańcuta zjechali słynni wykonawcy, przybyła tłumnie publiczność spragniona duchowych przeżyć, zaś kilka kilometrów dalej ludzie stali w długich kolejkach po cukier. Miałem niewielkie wymagania, więc trudy dnia codziennego w moim przypadku nie były zbyt uciążliwe, moje kartki na mięso przejmował Feliks, który to mięso potem zamrażał i na koniec tygodnia zapraszał mnie na „prawdziwy obiad". Niestety, jako kucharz nie miał zbyt wiele polotu, głównym daniem był zwykle schabowy z kapustą. Inne zakupy robiła mi za drobną opłatą nasza pani sprzątająca z pracowni. Jeśli już trafiałem do kolejki, to po papier toaletowy, który był na wagę złota.

W trakcie spaceru natknąłem się na kawiarenkę, kilka stolików ustawionych wprost pod gołym niebem, po starym kamiennym murze piął się bluszcz o drobnych fioletowych kwiatkach, które wydzielały silny zapach.

Kiedy z wnętrza domu wyszła właścicielka – starsza już kobieta o szlachetnych rysach, siwe włosy miała upięte w misterny kok – zażartowałem:

– Mam nadzieję, że nie jest pani syreną, przywabiającą ofiary wonią kwiatów.

– Nie ma obawy. – Uśmiechnęła się. – Jeśli chodzi o mnie, to mówmy o łabędzim śpiewie... *À propos* śpiewu, przyjechał pan pewnie na festiwal?

– Owszem, ale nie jako wykonawca.

– My z mężem wybieramy się na recital Evy Meier, pierwszy raz zgodziła się tu przyjechać, chociaż pan dyrektor często ją zapraszał. Z drugiej strony trudno jej się dziwić, gości na znamienitszych scenach, bardzo jestem jej ciekawa, bardzo...

Recital miał się odbyć na świeżym powietrzu, więc przed frontem zamku ustawiono scenę i krzesła dla publiczności. Kiedy zająłem miejsce, próbowałem wypatrzyć siwowłosą rozmówczynię, ale było zbyt tłoczno.

Zosię powitano burzą długo niemilknących oklasków. Miała na sobie suknię z trenem w srebrnym kolorze, w świetle reflektorów materiał mienił się niczym rybia łuska.

Ona może się okazać tą syreną – przebiegło mi przez myśl.

Konferansjer zapowiedział, że artystka zaśpiewa cykl pieśni Gustava Mahlera, poczynając od *Das klagende Lied*, czyli *Pieśni skargi*. Towarzyszący jej muzycy dość długo kokosili się na swoich miejscach, poprawiali instrumenty, aż nagle zapadła cisza i w tej ciszy rozległ się głos śpiewaczki. Nie znałem muzyki Mahlera, ale od pierwszego tonu wdarła się przebojem do mojego skołatanego wnętrza. Byłem wzruszony i poruszony, Tosca w wykonaniu Zosi jakoś do mnie nie trafiła, może dlatego, że opera to rodzaj muzyki, za którą nie przepadałem, a teraz niemal nie mogłem uwierzyć, że to w ciele Zosi rodzą się te wszystkie dźwięki. Miała mocny głos, tak pięknie potrafiła wymodelować cienie i półcienie tej pieśni. I ona opowiadała o braku formy! Chciałem jej o tym powiedzieć, ale tego wieczoru już się nie zobaczyliśmy. Była zaproszona na bankiet, a moja obecność przy niej z pewnością budziłaby zdziwienie. Kiedy wróciłem do klasztoru Dominikanów, czekała na mnie wiadomość: „Pani Zofia Ziarnicka zaprasza jutro na śniadanie w hotelu". Kiedy ją potem spytałem, dlaczego użyła mojego nazwiska, odpowiedziała:

– To także moje nazwisko! Nigdy się go nie wyrzekłam... w sercu...

Każdy mógłby tak powiedzieć – pomyślałem nieco złośliwie.

Tego ranka sprawiała wrażenie nieobecnej, zauważyłem, że prawie nie słucha, co do niej mówię, być może wynikało to ze zmęczenia po wczorajszym recitalu, publiczność długo nie chciała jej puścić, było kilka bisów. Swój występ Zosia zakończyła brawurowo *Habanerą*, ludzie bili jej brawo na stojąco.

Spieszyła się na pociąg, odprowadziłem ją do taksówki, ponieważ portier niósł za nami jej bagaże, nasze pożegnanie wypadło trochę sztywno.

– Odezwę się – powiedziała.

I tyle. A może aż tyle, przecież tylko dlatego przyjechała do Łańcuta, żeby się ze mną zobaczyć. Wróciłem do Warszawy i do swojego życia, czując się trochę tak, jakbym przyciasne buty zamienił na domowe kapcie, ale ciągle pamiętałem, że gdzieś tam w Niemczech są dwie kobiety, z którymi – chcę czy nie – jestem związany. Niedługo potem Feliks, który zawsze trzymał rękę na pulsie, dowiedział się, że Ulrike Meinhof popełniła w więzieniu samobójstwo. Od razu zacząłem rozmyślać, co to może oznaczać dla mojej nieznanej córki, i zadzwoniłem do Zosi.

– Tak, też już wiem – powiedziała. – Może wreszcie Anka wyzwoli się spod jej wpływu, ta kobieta działała na nią jak trucizna...

Mijały miesiące, Zosia przysyłała mi kartki z miejsc, w których bywała zawodowo. Zauważyłem, że nie jest to ani Mediolan, ani Nowy Jork, więc może rzeczywiście jej kariera nie wyglądała najlepiej. Na pewno kochano ją we Francji i w Ameryce Południowej, w Nowy Rok zadzwoniła do mnie z Buenos Aires. Ja spędziłem sylwestra tradycyjnie z Feliksem. W jego ciasnej, gierkowskiej kuchni przesiedzieliśmy przy kieliszku do białego rana.

Któregoś dnia Feliks zadzwonił do mnie do pracowni i powiedział, że musimy się spotkać „w sprawie niecierpiącej zwłoki", skoro tak, poszedłem do niego zaraz po pracy.

– W czym rzecz? – spytałem od drzwi.

– Wiesz, że od czasu do czasu umawiam się na brydża z moim aniołem stróżem!?

Ten anioł stróż prowadził jego teczkę, od kiedy Feliks się ujawnił. Co jakiś czas wzywał go na pogawędkę i namawiał do współpracy w zamian za różne życiowe ułatwienia, wyjazdy zagraniczne, talon na samochód, pieniądze. Feliks za każdym razem odmawiał, a oficer bezpieczeństwa skrupulatnie odnotowywał ten fakt. Potem już czynił to automatycznie, a panowie rozmawiali o brydżu, kiedy zaś ubek przeszedł na zasłużoną emeryturę, czasami rozgrywali partyjkę. Przy takiej okazji Feliks poruszył temat Frakcji Czerwonej Armii. „Kiepsko z nimi – usłyszał. – Wyłapali ich, może nie wszystkich, ale tych, co już mają, zaczęli po cichu likwidować". Mój przyjaciel odrzekł na to, że przecież zostali osądzeni i odsiadują wyroki, a Meinhof popełniła samobójstwo! Jego rozmówca tylko się roześmiał i stwierdził, że w takim razie to jakaś epidemia w tym Stammheim, bo zdarzyło się tam kilka podobnych samobójstw, a dziwnym zbiegiem okoliczności ci samobójcy byli członkami Frakcji Czerwonej Armii. Ubek dowiedział się tego od kolegi ze Stasi, która wspierała ten ruch.

– Myślisz, że Ani coś zagraża? – spytałem.

– Tak właśnie myślę!

Jego odpowiedź mnie zmroziła.

– Może trzeba to nagłośnić? Zosia ma koleżankę, której mąż jest dziennikarzem.

Feliks popukał się w czoło.

– Nie bądź naiwny. Ci z Frakcji zabili szychę, byłego esesmana wysokiej rangi, a wiesz, jaka to ukryta siła? Będą ich wykańczać po kolei, z zemsty. I żeby zastraszyć.

– No to jakie jest wyjście? – Poczułem się kompletnie bezradny.

– Trzeba ją stamtąd wyciągnąć – odrzekł Feliks z niezwykłą energią w głosie.

– Ale jak?

– Oto jest pytanie! Teraz ci na to nie odpowiem, dopiero zaczynam o tym myśleć. Kiedy na coś wpadnę, pierwszy się o tym dowiesz.

W drodze do domu myślałem, że Feliks zwariował. W jaki sposób moglibyśmy działać stąd, bez zaplecza, bez środków finansowych? Gdyby nawet przekonać Zosię, żeby dała jakieś pieniądze, mogłoby się to skończyć niepowodzeniem i zaprzepaściłoby szansę na uwolnienie Ani na drodze sądowej. Ale z drugiej strony, skoro Feliks miał tak niepokojące informacje z wiarygodnego źródła –

podobno enerdowska bezpieka była najlepiej poinformowaną tajną policją na świecie – należało to potraktować bardzo poważnie.

Wiele zmieniło powtórne pojawienie się Zosi, puls mojego życia wyraźnie przyspieszył, a fakt, że na stare lata zostałem ojcem, okazał się ważną, a z czasem może nawet najważniejszą dla mnie sprawą. Starałem się jakoś odnaleźć w tej roli, mimo że nikt tego ode mnie nie wymagał. Nie wiedziałem nawet, jak wygląda moja córka, bo Zosia pokazała mi fotografię małej dziewczynki, ale co mnie samego zadziwiało, odczuwałem z nią silną więź i byłem niemal pewny, że kiedy się wreszcie spotkamy, rozpozna we mnie ojca.

Powoli wróciłem do czytania dziennika Zosi. Towarzyszyło mi dziwne uczucie, jakbym zaglądał przez dziurkę od klucza do cudzego życia. To na pewno nie był dobry pomysł z jej strony. Uderzyło mnie, że tak mało miejsca poświęcała naszej córce. Jej zapisy dotyczyły głównie wzlotów i upadków w zawodzie śpiewaczki, na początku więcej wzlotów, potem więcej rozczarowań, lęk, że traci głos. Może to typowe dla artystów tej miary – muszą być egocentrykami, aby przetrwać wszystkie napięcia związane ze sceną. Ale u Zosi czasami przybierało to wręcz chorobliwą formę, szczególnie po tym, kiedy zabrakło przy niej Manfreda. Ja chyba jednak nie miałem prawa wypowiadać się na ten temat, bo mnie przy niej nie było.

Feliks zadzwonił do pracowni i wyraźnie podekscytowany poprosił mnie, abym koniecznie wpadł do niego po pracy. Przedstawił mi gotowy plan uwolnienia Ani: zgłosi się jej chorobę, w ambulatorium dostanie kroplówkę, zaśnie i zostanie przeniesiona do więziennej kostnicy, a stamtąd specjalny furgon wywozi ciała z terenu więzienia.

– A kto by to wszystko miał zrobić? I to na terenie Zachodnich Niemiec?

– Jak to kto?! – zdenerwował się. – Przekupiony lekarz, funkcjonariusze...

Patrzyłem na niego bez słowa. Chyba naprawdę oszalał.

– Znamy te działania z czasów okupacji – ciągnął.

– Nie pamiętam, aby kogoś udało się w ten sposób uwolnić z Pawiaka! Ze szpitala to co innego...

– Co ma do rzeczy Pawiak!

– Też więzienie.

– Ale czas nie ten. Gruba forsa otwiera wszystkie drzwi, pamiętaj o tym.

Odniosłem się do jego pomysłu dość sceptycznie.

– A gdyby coś się nie udało?

Mój przyjaciel wzruszył ramionami.

– Istnieje realna groźba, że ją zabiją, nie mówiąc o tym, że alternatywą jest dwadzieścia lat za kratkami, czyli zmarnowane życie...

– A kto miałby przekupywać tych funkcjonariuszy? My? Przekradniemy się do Zachodnich Niemiec i nikt nie będzie do nas strzelał na granicy? – Irytował mnie już. – Twierdziłeś, że z czasem można będzie załatwić jej zwolnienie na drodze sądowej, i to chyba jest bardziej rozsądne wyjście.

– Zapomnij o tym, posłuchaj Wolnej Europy, właśnie była cała audycja o niejasnej sprawie samobójstwa Meinhof i trzech innych zgonach... Mówili też o kontaktach RAF ze Stasi. Sprawdza się to, co zeznał mój znajomy...

– Twój ubek, nazywajmy rzeczy po imieniu – sprostowałem.

– Tam też trafiają się przyzwoici ludzie, a poza tym ten ubek może nam tylko pomóc.

– I ktoś taki miałby decydować o losie mojej córki!

– Ja ci tylko pokazuję drogę wyjścia.

Ta propozycja była szalona. Czułem, że muszę się skontaktować z Zosią. Wieczorem udało mi się zatelefonować do Berlina.

– Właśnie o tobie myślałam – powiedziała.

Zabrzmiało to tak, jakbyśmy rozstali się zaledwie wczoraj.

– Chciałbym się z tobą zobaczyć...

– Świetnie, wyślę ci zaproszenie.

– A może będziesz miała niedługo jakiś występ na przykład w Berlinie Wschodnim lub w Budapeszcie? To byłoby prostsze.

– W przyszłym tygodniu wystawiamy gościnnie *Toscę* w operze praskiej.

– To świetnie! – ucieszyłem się.

Zosia się roześmiała.

– Chcesz obejrzeć tę operę po raz drugi?

– Ciebie chcę oglądać, a poza tym musimy porozmawiać o czymś ważnym.

– Jasne.

Feliks ucieszył się z dobrych wiadomości.

– W takim razie jedziemy.

– Ty też chcesz jechać? – zdziwiłem się.

– Oczywiście! Żeby przekonać kobietę, trzeba mieć mocne, logiczne argumenty.

– Bo ja bym sobie z tym nie poradził?

Potrząsnął głową.

– Wiadomość z drugiej ręki zawsze słabiej wypada.

– No to weźmy ze sobą twojego koleżkę, wypadnie jeszcze lepiej.

– Daj spokój docinkom – odrzekł. – Teraz wszystkie ręce na pokład!

– Tylko że nikt przy zdrowych zmysłach nie porwie się na coś takiego. Teraz granice są chyba pilniej strzeżone niż w czasie wojny, po jednej i po drugiej stronie. A nawet jakby nam się udało, co byśmy zdziałali? Bez kontaktów, bez odpowiednich środków?

– Wiesz co, gadasz jak stara pierdoła! Gdybym cię nie znał, pomyślałbym, że chodzi ci o własny tyłek. Poza tym co masz do stracenia? Swoją małą stabilizację, pracę i tak dalej – czy o to właśnie walczyliśmy? A mówiąc poważnie, nie ma żadnej pewności, że to może się udać, masz tylko zagwarantowane, że albo twoja córka któregoś dnia „popełni" samobójstwo, albo na przykład znajdą jakiś paragraf i jeszcze dodadzą do wyroku.

Wracając do domu, myślałem, że Feliks nagle odmłodniał, widać przypomniały mu się czasy, gdy działaliśmy w podziemiu. Ale to właśnie mnie niepokoiło, bo ten jego entuzjazm mógł sprawić, iż przestanie realnie oceniać sytuację. Tak jak wtedy gdy trochę na wariackich papierach we dwóch rozbroiliśmy nocą czteroosobowy patrol niemiecki. Kiedy weszliśmy obładowani karabinami do naszej kryjówki w piwnicy przy Rozbrat, należącej do rodziców Ola, koledzy omal nie pospadali z krzeseł.

Zgodziłem się, żeby ze mną jechał, bo wiedziałem, że jak Feliks coś sobie postanowi, trudno wybić mu to z głowy. Wyruszyliśmy ośmioletnim fiatem 125, którego Feliks kupił od znajomego z politechniki. Śmiałem się nawet, że ten grat stał się jego rozrywką na stare lata, bo wiecznie coś przy nim majstrował, ulepszał. Od czasu kiedy Olek zafundował mu porządną protezę, Feliks mógł już prowadzić auto.

– Przynajmniej na coś się przydał nasz bawidamek – skwitował ten fakt, ale był naprawdę wzruszony.

Po drodze zastanawialiśmy się, w jaki sposób przedstawić sprawę Zosi. I który z nas to zrobi.

– Mowę masz bardziej kwiecistą – stwierdził Feliks – ale tu chodzi o to, aby jej nie zagadać, musi do niej dotrzeć przekaz, że to jedyne wyjście z tej sytuacji.

Pomyślałem, że jest mała szansa, żeby Zosia zaakceptowała plan Feliksa, ale nie chciałem go już na początku zniechęcać. W końcu po co była ta cała wyprawa? Po przygodach na granicy i rutynowej kontroli widok Pragi zrobił na nas duże wrażenie. Już z daleka widać było solidne mury pamiętające czasy średniowiecza, wiedziałem, że obaj myślimy o tym samym. Dwa miasta i jakże inne losy.

Umówiliśmy się z Zosią po spektaklu, to znaczy ja się umówiłem, bo o Feliksie na razie nic nie wiedziała. Zostawiła w kasie zaproszenie dla mnie, ale do opery poszedł Feliks.

Samotnie spacerowałem po mieście, chłonąc jego niezwykłą atmosferę, właściwie każda napotkana budowla była warta uwagi. Powoli zbliżał się wieczór, słońce chyliło się ku zachodowi, oświetlając zamek i mury gotyckiej katedry na Hradczanach, a ja stałem i patrzyłem, piękno tego miejsca aż bolało. Potem zawędrowałem na Małą Stranę, pełną ogrodów i zachwycających uliczek, to wszystko było tu od zawsze, nam udało się odbudować Warszawę, co było ewenementem w skali światowej, ale miasto straciło pamięć.

Feliks zachwycił się operą i Zosią w roli Toski.

– Moja dusza szybowała pod samo sklepienie, kiedy jej słuchałem.

– A innym się podobała? – chciałem wiedzieć, mając na uwadze samokrytyczne wypowiedzi mojej żony.

– Co za pytanie!

Przed gmach opery wyszła garderobiana, ta sama, co wtedy w Warszawie, i poinformowała nas, że jej chlebodawczyni czeka w taksówce na parkingu dla artystów. Była zdziwiona, widząc, że nie jestem sam.

– Zosiu, to Feliks! – przedstawiłem jej przyjaciela.

– Trzeci z Muszkieterów! – zawołała. – Nie zdążyliśmy się poznać, ale Jurek mi o panu opowiadał. Witam kolegę z powstania.

– A ja wspaniałą artystkę o głosie anioła – odrzekł naprawdę przejęty.

Zosia miała zamówiony stolik dla dwóch osób w hotelowej restauracji, ale udało się go zamienić na większy. Obsługiwało nas kilku kelnerów i chwilami miałem wrażenie, że biorę udział w jakimś filmie, to wszystko było aż nieprawdziwe. W głowie kręciło mi się od wina. Feliks rozmawiał z Zosią, usta mu się nie zamykały i gdybym się w pewnym momencie nie wtrącił, opowiedziałby jej cały swój życiorys. Kiedy wreszcie dopuścił ją do głosu, spytała o Olka, dobrze go pamiętała, był przecież świadkiem na naszym ślubie. Wiedziała też ode mnie, że po wojnie został na Zachodzie.

– Dlaczego nie wrócił?

– Gdzie by mu było lepiej – pospieszył z odpowiedzią Feliks. – Do tej pory zdążył mieć już trzy żony, a teraz ma czwartą, milionerkę, która prowadzi w Afryce sierociniec dla słoni, a on jej w tym pomaga.

Zosia bardzo się śmiała.

– Z jego urodą Carry Granta to chyba nie było trudne. Zdaje się, że studiował medycynę...

– Nawet ją skończył i razem z drugą żoną, Amerykanką, dorobili się prywatnej kliniki w Los Angeles, ale wkrótce mu się znudziła.

– Żona czy klinika?

– I jedna, i druga – odparł.

Byłem na niego zły, bo wyglądało na to, że oboje są już wstawieni. Jak w takiej sytuacji zaczynać poważną rozmowę? Czułem, że jeśli tego nie przerwę, nasza wyprawa okaże się fiaskiem.

– Zosiu, ty zdaje się jutro śpiewasz? – zwróciłem się do niej, piorunując wzrokiem Feliksa. – I możesz przy tym pić?

– Oczywiście, nie wiesz, że wino jest napojem bogów?

– I artystów! – podchwycił Feliks.

Skończyło się tak, że gdy wreszcie wstaliśmy od stolika, ona spytała, jak daleko jest nasz hotel i czy zamówić nam taksówkę. Feliks wyjaśnił, że to dziesięć minut spacerkiem. Kiedy już się żegnaliśmy, nieoczekiwanie poprosiła, abym ją odprowadził do pokoju. Zdążyłem jeszcze szepnąć przyjacielowi, że spotkamy się na parkingu, gdzie trzymał samochód, niestety spory kawałek drogi stąd, na obrzeżach miasta. Bo oczywiście nie stać nas było na żaden hotel i musieliśmy spać w samochodzie.

Pokój Zosi okazał się apartamentem z salonem, sypialnią, garderobą i królewską łazienką. Zapadliśmy się oboje w miękkiej kanapie, a ona nieoczekiwanie położyła głowę na moim ramieniu.

– Feliks stracił rękę w powstaniu?

– On jeden z naszej trójki był dwukrotnie ranny, mnie i Ola kule się nie imały.

– Ułożył sobie życie?

– Jest sam.

– A ty? – zadała mi wreszcie to pytanie.

– Ja też jestem sam.

Podniosła głowę.

– Dlaczego? Chyba... nie czekałeś na mnie?

– Może czekałem...

I wtedy się rozpłakała, łzy spływały jej po policzkach. Cały zesztywniałem, nie wiedząc, jak mam się zachować w takiej sytuacji.

– Przepraszam... opłakuję siebie, ciebie, całe nasze pokolenie i zmarnowane życie...

– Ty na pewno nie zmarnowałaś życia!

– Masz na myśli moją karierę? Nie dano mi szansy jak innym, zaczęłam za późno... To było słychać w moim głosie od początku. Ci, którzy się na tym znają, pisali: genialna amatorka!

– Ale publiczność cię uwielbiała i uwielbia, czy to nie jest najważniejsze?

– To jest ważne – zgodziła się ze mną. – Ale każdy artysta pragnie potwierdzenia u profesjonalistów, autorytetów, jako kobieta... byłam młoda, ładna...

– Prześliczna!

– Większość życia spędziłam u boku starca. Nie zdradzałam go, a po jego śmierci nie miałabym już odwagi rozebrać się przed mężczyzną.

– A przede mną?

Odsunęła się spłoszona.

– Już nie jestem atrakcyjna, bardzo utyłam... Sama nie lubię na siebie patrzeć...

– A może dla mnie to nie ma znaczenia!

– To ma znaczenie! – odrzekła dobitnie.

W nagłym odruchu objąłem ją i pocałowałem. Zapach jej włosów, jej skóry, to wszystko mnie oszołomiło. Rozbierałem ją, mocno trzymając przy sobie, a ona się nie broniła. Kochaliśmy się na dywanie. W jakiś dramatyczny sposób starałem się do niej dotrzeć, pożądanie mieszało się z lękiem, co my robimy, czy ona czuje podobnie. Była taka cicha.

Potem leżeliśmy obok siebie, jak po stoczonej bitwie.

– To był mój pierwszy prawdziwy orgazm od dwudziestu czterech lat – odezwała się.

– Więc o czym pisałaś w dzienniku na spiętych stronach?

– Właśnie o tym!

Prawie natychmiast zasnęliśmy w łożu pod baldachimem, a rano ona zamówiła śniadanie do apartamentu. Siedziała naprzeciw mnie w swoim jedwabnym szlafroku w papugi, bez makijażu wyglądała staro, ale właśnie to mnie wzruszało.

– Pamiętasz śniadania w szkole, na górce? – spytała.

– Rodzice twoich uczniów nas dokarmiali...

– Jajka prosto od kury, twarożek ze szczypiorkiem – rozmarzyła się – chleb pieczony na liściach kapusty... Śni mi się czasami zapach tego chleba...

– Ja jednak pozostanę przy tym, że wolę czarny kawior, który wczoraj jadłem pierwszy raz w życiu!

– Kawior też może się przejeść – odrzekła ze smutkiem.

Wiedziałem, że nie powinienem rozmawiać z nią tutaj o sprawie naszej córki, na pewno w hotelu był podsłuch, poprosiłem więc, aby wyszła ze mną na balkon na papierosa.

– Ja nie palę!

– A możesz mi towarzyszyć?

– Oczywiście.

Najpierw spytałem ją, czy istnieje jakaś szansa, aby wyciągnąć Anię z więzienia w możliwie krótkim czasie. Zaprzeczyła. Dopóki istniało zagrożenie ze strony terrorystów, dopóki nie złożyli broni, żadne działania prawne w tej sprawie nie były możliwe. Przekazałem więc jej wszystko, czego dowiedział się Feliks, także o dziwnych zgonach więźniów związanych z Frakcją Czerwonej Armii, i przedstawiłem plan ewentualnego uwolnienia naszej córki. Spodziewałem się gwałtownej reakcji z jej strony, ale przyjęła to ze spokojem.

– To może być niebezpieczne – rzekła po długiej chwili. – Dostanie za dużą dawkę i się nie obudzi... Albo zawiodą ludzie, albo jeszcze coś innego... Pieniądze oczywiście nie grają roli, jestem w stanie poświęcić na to każdą sumę, ale ryzyko, wydaje mi się, jest bardzo duże.

– Każdy kolejny dzień w tym więzieniu to dla niej ryzyko – odparłem – ale tylko ty możesz podjąć decyzję, jej matka.

– A z kim można o tym rozmawiać? – spytała ostrożnie.

– Feliks bierze to na siebie, skontaktował się z osobą, która ma dojścia w Stasi, jeśli nie mówisz nie, postara się dowiedzieć o więcej szczegółów.

– Więc niech się dowie – usłyszałem.

Przyjaciel czekał na mnie na parkingu.

– Jak ci minęła noc? – spytał kwaśno. – Mam nadzieję, że łóżko było wygodne!

– Przepraszam, stary – odrzekłem. – Tak jakoś wypadło... Gadaliśmy z Zosią pół nocy... Przedstawiłem jej nasz plan i zainteresował ją!

– Serio? – Feliks od razu się rozchmurzył i kazał ze szczegółami powtórzyć mi rozmowę.

Wstąpiliśmy potem do kawiarni na rogu, gdzie zjadł śniadanie, a ja wypiłem drugą kawę, o dziwo, wcale nie gorszą od tej pierwszej, tyle że nie w filiżance z miśnieńskiej porcelany.

Zaraz po powrocie z Pragi Feliks umówił się ze znajomym z SB, aby „porozmawiać o konkretach". Po tym spotkaniu od razu przyszedł do mnie, miał bardzo zadowoloną minę.

– Wygląda to lepiej, niż myśleliśmy, oczywiście w grę wchodzą duże pieniądze, ale to chyba nasz najmniejszy problem. Najpierw musi powstać plan, który obie strony zaakceptują, potem dopiero sprawa kasy. Podobno ci ze Stasi mają ścisły cennik za swoje usługi.

– Jesteś pewien, że możesz zaufać temu człowiekowi? To mało prawdopodobne, aby Stasi zajmowała się czymś takim.

Feliks uśmiechnął się z wyższością.

– W każdej strukturze są nisze i jeśli umiesz do nich trafić, to coś, co wydaje się nieprawdopodobne, staje się faktem!

– A czy był już jakiś udany transfer ze Stammheim?

Przyjaciel popukał się w czoło.

– Kochany, właśnie przechodzimy na ciemną stronę mocy, tam się wyłącznie milczy!

– Umiesz pocieszyć człowieka.

– To nie jest gra dla naiwnych, mój przyjacielu.

– I ja jestem ten naiwny? – spytałem obrażonym tonem.

– No, jak by ci tu powiedzieć... chciałeś po hemingwayowsku pływać łajbą i walczyć z morskim żywiołem, zamiast zamelinować się gdzieś na stryszku i nie rzucać w oczy. Co jak co, ale na Kaszuba nie wyglądasz. I jak się skończyło? Więzieniem, a o mały włos cię nie ustrzelili... A ja przeczekałem pierwszą amnestię w czterdziestym piątym, bo była na wabia, ci, co się zgłaszali, szli do mamra albo wprost pod mur. Tak się Polska Ludowa rozprawiała z podziemiem antykomunistycznym. Tak samo druga amnestia w czterdziestym siódmym, niby z racji wyboru prezydenta, dopiero trzecia – w pięćdziesiątym drugim – miała większe otwory w sicie i warto było ryzykować.

– Nigdy o tym nie mówiłeś.

– Bo o czym było mówić, jak się spotkaliśmy, mieliśmy weselsze tematy do rozmowy.

– No tak, trzy dni picia do nieprzytomności!

– To były czasy – westchnął.

Po kilku tygodniach zacząłem naciskać na Feliksa, aby spróbował się czegoś dowiedzieć w sprawie mojej córki. Odparł, że przy tak ryzykownych przedsięwzięciach nie należy się spieszyć.

– Wszystko w swoim czasie.

– Ale co mówi ten twój ubek?

– Nic nie mówi, bada sytuację.

– Moim zdaniem to kiepsko wygląda – powiedziałem zgnębiony. – Wątpię, aby ci ze Stasi w ogóle chcieli wchodzić w coś takiego.

– Zobaczymy, nie ma się co martwić na zapas.

Minęło kilka miesięcy i wyglądało na to, że tak jak przypuszczałem, nasz plan nie wyszedł. Feliks naciskał na swojego informatora, ale ten nie miał nic do zaoferowania.

– Jak na razie – pocieszał mnie przyjaciel.

– Bądźmy realistami, to nie mogło się udać – odrzekłem.

– Jeszcze nie powiedziałem w tej sprawie ostatniego słowa, panie wątpiący! – usłyszałem.

Wkrótce po tej rozmowie zadzwonił do pracowni i zaproponował spacer, co mogło oznaczać, że coś w tej sprawie drgnęło. Nie pomyliłem się.

Szczęśliwym dla nas trafem okazało się, że oficer wywiadu Stasi pracujący w rezydenturze w Warszawie, chcąc sobie dorobić, zaczął defraudować fundusz operacyjny w dolarach i markach zachodnioniemieckich pod pretekstem wynagradzania cennego agenta w opozycji. Walutę sprzedawał na czarnym rynku i SB go na tym przyłapało, ale jakoś się dogadali. Zawsze dobrze mieć haka na kogoś od tamtych, jednak w centrali w Berlinie zaczęto podejrzewać, że z tym funduszem coś jest nie tak, i zapowiedziano przyjazd kontrolerów do Warszawy. Ubek Feliksa postanowił to wykorzystać.

– Niby w jaki sposób?

– A w taki, że to ja będę tym agentem.

Na chwilę odebrało mi mowę.

– Jak to sobie wyobrażasz?

– Mój znajomek umożliwi mi kontakt z tym nieszczęśnikiem, potwierdzę przed kontrolerami, że brałem od niego kasę.

– Nieszczęśnikiem to za chwilę będziesz ty, przecież oni to wykorzystają, zaczną cię szantażować! – mówiłem naprawdę wstrząśnięty.

– Nie sądzę, ubecja już wie, że nic ze mnie nie wyciągną, a tamci przyjadą i pojadą.

– Bardzo ryzykujesz – odrzekłem, kręcąc głową.

– Nawet jeśli, to przecież chodzi o córkę przyjaciela, czyż nie tak?

– No tak – bąknąłem. – Może jednak dałoby się inaczej, bez takiego ryzyka...

– Nie dałoby się – uciął dyskusję Feliks.

W tym czasie kilka razy rozmawiałem z Zosią przez telefon, przekazując jej zaszyfrowane wiadomości, na razie bez żadnych konkretów. Feliks po tej naszej rozmowie przestał mnie wtajemniczać w swoje działania, uważając, że moja postawa źle na niego wpływa. Ale w końcu umówił się ze mną na kolejny spacer i dowiedziałem się, jak będzie wyglądała akcja odbicia Ani: sekretarka dyrektora więzienia spreparuje i położy na biurku szefa pismo o wywiezieniu skazanej na przesłuchanie do prokuratury. Karetka więzienna z dwoma funkcjonariuszami wjedzie na teren Stammheim. Za rogiem będzie czekał samochód. Ania przekroczy granicę Polski z paszportem dyplomatycznym, my się mamy martwić, co dalej.

– Jakim cudem ta sekretarka zrobi coś takiego? Za pieniądze? – spytałem zaskoczony.

– To agentka Stasi – wyjaśnił Feliks. – Tak się złożyło, że Marcus Wolf od dawna oplata swoją siatką Zachodnie Niemcy, ciągle werbuje nowych ludzi i wyobraź sobie, to są głównie kobiety!

Brzmiało to jak bajka o żelaznym wilku, ale otaczająca mnie rzeczywistość wysoce przekraczała wszelką fantazję.

– A jak Ania nie będzie chciała wsiąść do tego samochodu?

– Nic się nie martw – uspokoił mnie Feliks. – To są spece od takich akcji.

– Zakleją jej usta?

– Nie wiem, co zrobią – zirytował się. – Na pewno to przeżyje.

– A mogę cię o coś spytać?

– Pytaj, jak musisz.

– Spotkałeś się z tymi kontrolerami?

Feliks uśmiechnął się pod nosem.

– A jak myślisz?

– Podpisywałeś coś?

– Nie musiałem, uwierzyli mi na słowo, poza tym chwalili mój niemiecki...

Ustaliliśmy, że pierwszym schronieniem Ani będzie mój strych, nikt oprócz mnie na tej kondygnacji nie mieszkał, raz w tygodniu przychodziła sprzątaczka, zawsze można było ją jednak odwołać. Przez kolejne dni żyłem jak we śnie, wszystko dokoła straciło ostrość, nie bardzo rozumiałem, co się do mnie mówi. Feliks, widząc, co się dzieje, przestał mnie o czymkolwiek informować, podejrzewam zresztą, że sam też wiedział niewiele. Zosia miała przemycić pieniądze do Berlina Wschodniego, ale nie znałem szczegółów poza tym, że to była kwota stu pięćdziesięciu tysięcy marek zachodnich.

Otrzymałem jednak pewne zadanie, miałem pojechać do wioski pod Białymstokiem i tam odebrać od kogoś paszport i zaświadczenie z instytutu dla głuchoniemych. Nic z tego nie rozumiałem.

– Im mniej się wie, tym lepiej. Sprawdzisz tylko, czy dokument jest w porządku, i wtedy wręczysz tej kobiecie kopertę – stwierdził Feliks.

Ja jednak nalegałem, aby wyjawił coś więcej.

– To woźna z podstawówki – odrzekł niecierpliwie – wieloletnia informatorka służb, zwerbowali ją, bo kierownik szkoły wyleciał z instytutu w Białymstoku i był pod obserwacją. Ma głuchoniemą córkę, „wypożyczymy" jej paszport, z tego co wiem, już go wyrobiły...

– A nie boisz się, że weźmie pieniądze, a potem na nas doniesie?

Feliks uśmiechnął się pod nosem.

– Dostanie teraz połowę, a resztę, kiedy Ania przekroczy granicę.

Nie powiem, żebym odniósł się do tego z entuzjazmem. W sytuacji mojej córki nie było właściwie dobrego wyjścia, jednak to, na co się porywaliśmy, zakrawało na prawdziwe szaleństwo. Mogła zapłacić za to życiem. Było już co prawda nieco za późno na takie rozterki, ale moi przyjaciele nie bez przyczyny nadali mi przydomek „Jurek wieczne niezdecydowanie".

Do Białegostoku pojechałem pociągiem, a stamtąd rozklekotanym autobusem, droga była dość wyboista i chwilami obawiałem się nawet, że to pudło się po prostu rozleci. Feliks przykazał mi, abym starał się jak najmniej rzucać w oczy, ale w tym towarzystwie było to raczej niemożliwe. Otaczały mnie twarze jak z malowideł Boscha, mężczyźni w półkożuszkach, drelichowych spodniach i gumiakach, kobiety zakutane w kraciaste chusty, z pustymi koszami, bo widocznie sprzedały swój towar na targu. Ja, o wyglądzie inteligenta, w oczywisty sposób przyciągałem wzrok kierowcy i współpasażerów, w razie jakiejś wpadki bezbłędnie wskazaliby mnie palcem. Dom tej woźnej był w gruncie rzeczy lepianką na wpół zapadniętą w ziemię, miał pomalowane niebieską farbką ściany, małe okienka i słomianą strzechę. Wydawało się niemożliwe, aby w czymś takim mieszkać, jednak gnieździły się tam matka z niemą córką. Kiedy wszedłem, ta córka siedziała na rozbebeszonym łóżku w ciemnym kącie i prawie nie było jej widać, ale kiedy matka wyjęła z szuflady dokument, mogłem obejrzeć jej zdjęcie. Miała tak bezbarwną twarz, że chyba każda młoda kobieta mogła się do niej upodobnić przy odrobinie charakteryzacji.

– Nikt się nie dziwił, że córka wyrabia sobie paszport? – spytałem.

– A pytali – odrzekła jej matka z chytrym uśmiechem. – Ja na to, że do rodziny w Bulgari, na letnisko... Tak tamten pan kazał gadać...

Tamten pan to mógł być Feliks albo jego ubek, ale mnie oczywiście nikt nie wyjaśnił, skąd się wzięła ta cała Bułgaria. Brzmiało to dość egzotycznie. Co Ania miałaby tam robić? Opalać się i kąpać w morzu? W jej sytuacji? Wróciłem z tej misji wściekły i zażądałem wyjaśnień.

– Nie masz na to wpływu, więc po co cię tym obciążać – odrzekł Feliks z kwaśną miną.

– A może ja chcę być obciążony!

– Niech ci będzie – skapitulował w końcu. – Zosia omawia szczegóły z Olem, bo on tam dowiezie nowy paszport, z którym Ania opuści nasz bratni kraj...

Na chwilę odebrało mi mowę.

– Pojedzie tam sama?
– No nie... z którymś z nas...

W końcu nadszedł ten moment. Feliks dał mi do zrozumienia, abym był przygotowany na przyjęcie gościa. Świat zawirował mi w oczach.

– Kiedy?

– Jutro!

– Co mam robić?

– Nic, siedź w domu.

Wziąłem więc kilkudniowy urlop i siedziałem na swoim strychu, jak mi zostało przykazane. Feliks był w lepszej sytuacji, bo właśnie skończył się rok akademicki i do października miał wolne. Myślałem o tym, jak wypadnie moje spotkanie z córką. Ona oczywiście nie będzie wiedziała, że jestem jej ojcem, to miał być powolny proces odkłamywania jej życia, tym bardziej skomplikowany, że nie mówimy w tym samym języku. Niemiecki znałem słabo, lepiej było z angielskim, ale nie na tyle, abym mógł swobodnie rozmawiać. Zaopatrzyłem się w rozmówki polsko-niemieckie, jednak to niczego nie rozwiązywało.

Jaka jest Ania? Jak wygląda, jaki ma głos, co myśli? To wszystko stanowiło wielką niewiadomą i nie było nikogo, z kim mógłbym o tym porozmawiać. Feliks zabronił mi dzwonić do Zosi, aby nie namierzyli mojego numeru. Źle się stało, że przedtem do niej telefonowałem, tego nie dało się już niestety cofnąć. Czułem się dziwnie samotny, wokół mnie zawsze byli ludzie, a teraz nagle znalazłem się w pustce, uwięziony we własnym mieszkaniu. Przedtem nie przeszkadzało mi, że nie mam rodziny, w pewnym stopniu zastępował mi ją Feliks, ale on też z wiadomego powodu zniknął z mojego życia. Był pomysłodawcą i inżynierem całej akcji, powinienem więc odczuwać wdzięczność, lecz ten jego ton wyższości budził moją irytację. Zachowywał się jak konspirator, na pewno było to konieczne, choć bez tej całej otoczki, tego puszenia się, nadymania. Należało mu to jednak wybaczyć, znałem przecież na pamięć wszystkie jego wady, zresztą on moje też. Próbowałem jakoś zagospodarować czas, oglądałem telewizję, usiłowałem czytać, lecz myśli uporczywie powracały do spodziewanej wizyty. Nic dziwnego, przecież czekałem na tego kogoś dwadzieścia cztery lata...

Zacząłem z powrotem przeglądać materiały dotyczące Frakcji Czerwonej Armii, które podrzucił mi Feliks, interesowała mnie głównie prowodyrka tego ruchu, Meinhof, bo według słów Zosi wywarła największy wpływ na życie naszej córki. W opisach jej osoby stale powtarzało się stwierdzenie, że przed zejściem do podziemia sprawiała wrażenie kogoś nieśmiałego, wycofanego. Była zaangażowana w ruch na rzecz pokoju, wraz z mężem wydawała lewicowe pismo, jak się potem okazało, dofinansowywane przez wschodnioniemieckie służby. Miała świetne pióro, zdobywała więc coraz większy krąg czytelników, a jej głos prominentnej dziennikarki liczył się coraz bardziej w ogólnej debacie. Można by więc mówić o sukcesie zawodowym, dodatkowo udane życie rodzinne, mąż dzielący jej zainteresowania, dwie córeczki – bliźniaczki. Co takiego zaszło, że nagle ta chrześcijańska pacyfistka zaczęła nawoływać do przemocy, a nawet sama była zdolna do użycia broni i ze znanej i cenionej dziennikarki stała się wrogiem państwowym numer jeden? Uważano, że przełom nastąpił, gdy poznała Andreasa Baadera. Ulrike brała czynny udział w jego uwolnieniu z więzienia, gdzie przebywał za podpalenie domu towarowego, akcję tę uznano zresztą za narodziny Frakcji Czerwonej Armii. Więc w jej zejściu na złą drogę upatrywano zgubnego wpływu Andreasa, który miał silną osobowość i narzucał otoczeniu swoją wolę. Ona zaś cierpiała na kompleks intelektualistki, interpretującej rzeczywistość zamiast ją zmieniać. Wystarczy porównać jej artykuły sprzed zejścia do podziemia z tym, co głosiła potem. Byli jednak i tacy, którzy za ten radykalizm Meinhof oskarżali chore struktury państwa, brak rozliczenia z nazizmem, korupcję, przemoc policji. Ktoś zwrócił nawet uwagę na nieudaną operację guza mózgu, po której Ulrike cierpiała na migreny, ale to chyba najmniej prawdopodobne. Gdy czyta się jej wypowiedzi w rodzaju: „Akcje miejskiej partyzantki nigdy nie są skierowane przeciwko ludowi.

To są zawsze akcje przeciwko imperialistycznemu aparatowi państwa" albo „Historię piszą zwycięzcy. Jeden zabity człowiek to akt terrorystyczny. Tysiąc zabitych to militarna interwencja", nie da się ukryć, że jest w tym jakaś logika...

Z fotografii patrzyła na mnie młoda kobieta o ciepłym spojrzeniu. Gdybym mógł, zapytałbym ją, dlaczego zrujnowała doszczętnie swoje życie rodzinne, dlaczego odeszła od męża. Córki w chwili jej śmierci miały po czternaście lat, a powszechnie uważa się, że jest to wiek, kiedy dziewczynki najbardziej potrzebują matki.

W materiałach Feliksa znalazłem też notatkę wyciętą z gazety: „W niedzielny poranek 9 maja 1976 roku strażnik w więzieniu w Stammheim otworzył drzwi celi numer 719 i zobaczył, że z okiennej kraty zwisa nieruchomo ciało kobiety. Po bliższych oględzinach stwierdził, że kobieta powiesiła się na ręczniku".

Ten zwięzły opis zrobił na mnie okropne wrażenie, oczyma wyobraźni zobaczyłem w podobnej sytuacji moją córkę i decyzja uwolnienia jej wydała mi się ze wszech miar słuszna.

Późnym wieczorem usłyszałem za drzwiami głos Feliksa.

– Jesteśmy.

Obok przyjaciela zobaczyłem drobną postać w zbyt dużym płaszczu. Zosia w młodości była dobrze zbudowaną, wysoką dziewczyną, ja też nie należałem do najniższych, więc oczekiwałem kogoś zupełnie innego.

W przedpokoju Feliks pomógł jej zdjąć okrycie, okazało się, że to jego płaszcz, w ostatnich dniach zrobiło się zimno, a ona była lekko ubrana.

– W tym zamieszaniu kurtka Ani została w samochodzie – wyjaśnił.

– W jakim zamieszaniu?

– Później, zrób nam herbaty.

Poszedłem do kuchni, a kiedy wróciłem z tacą, zobaczyłem dziwną scenę. Ania siedziała za szafą biblioteczną z kolanami pod brodą, a Feliks, kucnąwszy przed nią, perorował po niemiecku.

– Co się dzieje? – spytałem.

– Nie teraz – odrzekł niecierpliwie. – Mała ma kryzys.

Powiedział „mała", więc miał podobne odczucia co ja, ona zupełnie nie wyglądała na dorosłą. I to miała być terrorystka zagrażająca bezpieczeństwu Republiki Federalnej Niemiec?

W końcu przyjacielowi udało się wywabić ją z tego kąta, ale nic nie chciała, ani pić, ani jeść. Zamknęła się w łazience, a potem owinięta moim szlafrokiem przemknęła do pokoju, który dla niej przygotowałem.

– Ona nie ma żadnych ubrań – zauważyłem.

– Jutro jej się kupi – odrzekł Feliks. – Musi mieć na sobie ciuchy stąd i wyglądać, jakby była stuprocentową Polką.

– Która nie zna polskiego!

Uśmiechnął się lekko.

– No przecież jest głuchoniema od urodzenia!

– Zgodziła się na to?

– Jeszcze nic o tym nie wie, do momentu przekroczenia granicy występowała jako córka szeregowego pracownika ambasady niemieckiej.

Siedzieliśmy w kuchni, ale cały czas nasłuchiwałem, co się dzieje w głębi mieszkania, nie dochodziły stamtąd żadne odgłosy.

– A co ona wie?

– Jedno na pewno, że nie siedzi już w Stammheim.

Feliks, mimo mojej prośby, aby został na noc, odmówił. Stwierdził, że po tych wszystkich trudach ma prawo wyspać się we własnym łóżku.

– Przyjdę rano – obiecał, a widząc moją minę dodał: – Będzie spała, jest na środkach uspokajających, a poza tym przyzwyczajaj się, że masz lokatorkę...

Zanim poszedłem do siebie, postanowiłem zajrzeć do pokoju córki i przeraziło mnie, że nie widzę jej głowy na poduszce, dopiero potem dostrzegłem pod kołdrą niewyraźny kształt. Spała w pozycji embrionalnej.

Leżąc w ciemności, myślałem, jak to się wszystko dalej potoczy i czy ona nie zapłaci za ten transfer na wolność zbyt wysokiej ceny. Nigdy już nie będzie mogła wrócić do Europy, bo natychmiast zostałaby aresztowana. A i dalsza jej podróż była wielką niewiadomą, bo z pewnością Interpol będzie węszył, jej zdjęcia pojawią się na przejściach granicznych, dworcach kolejowych i lotniczych. Ale dalszy pobyt w więzieniu też nie był dobrym wyjściem, chyba jednak bardziej była narażona tam niż po drugiej stronie krat.

Życie pokaże – pomyślałem – czy decyzja była słuszna. Ale jeśli coś by nie wyszło, największą cenę zapłaciłaby Zosia, bo to ona podjęła tę decyzję, nie pytając zainteresowanej o zgodę.

Denerwował mnie i niepokoił optymizm Feliksa, który zachowywał się tak, jakby wszystko było niezwykle proste. To, że pierwsza część planu przebiegła nadspodziewanie gładko, nie oznaczało wcale, że tak będzie dalej. Wynajęci przez Zosię ludzie działali z zaskoczenia, a teraz międzynarodowe służby zostały postawione w stan gotowości. Oczywiście fakt, że moja córka znalazła się w strefie wpływów Moskwy, był czynnikiem sprzyjającym. Wiadomo przecież, że komuniści wspierają wszelkie ruchy terrorystyczne i nie leży w ich interesie współpraca z zachodnimi służbami.

Feliks dotrzymał słowa, zjawił się zaraz po siódmej z siatką pełną zakupów, a ja uświadomiłem sobie, że do tej pory Ania nie opuszczała pokoju. Powiedziałem mu o tym, ale przyjął to naturalnie.

– Odsypia podróż, dajmy jej spokój.

Kiedy jednak nie pojawiła się do południa, postanowił do niej zajrzeć. Usłyszałem, że rozmawiają, a po chwili Feliks wrócił.

– Weźmie prysznic i przyjdzie na śniadanie – oznajmił.

– Mówiła coś jeszcze?

– Spytała, kim jest ten człowiek. Miała na myśli ciebie.

– I co odpowiedziałeś?

– Że sam jej to powiesz w swoim czasie.

Piliśmy w kuchni kawę, a ja ciągle zerkałem na puste nakrycie. Ona wczoraj była taka cicha, wycofana, ale może tak działały leki. Obraz stworzony przez Zosię – hardej, niezależnej dziewczyny – zupełnie nie przystawał do jej drobnej postaci, to aż szokowało. Chociaż... Moja mama też była niskiego wzrostu, ojciec często mówił do niej: „Dziewczynko!", a podobno dziedziczy się pewne cechy w drugim pokoleniu.

Odezwały się kroki. Ania stanęła w drzwiach i to był chyba jeden z trudniejszych momentów w moim życiu. Podnieśliśmy się z miejsc, Feliks podszedł do niej, objął ramieniem, a potem podprowadził do stołu. Usiadła i od razu spuściła głowę, patrząc w talerz.

On wypytywał, na co ma ochotę. Poprosiła tylko o kawę, więc rzuciłem się, aby ją zaparzyć. Przy stole panowała cisza.

– I co dalej? – spytałem Feliksa po polsku.

Na dźwięk mojego głosu Ania drgnęła.

Boi się mnie – pomyślałem z przykrością.

– *Endschuldigung, Schatz* – Feliks zwrócił się do niej – *brauchen wir etwas mit meinem Freund...*

Skinęła głową.

– Trzeba jak najszybciej ją stąd wypchnąć – powiedział. – Tylko pytanie jak. Olek już działa.

– A co do tego czasu? – spytałem bezradnie. – Jutro już muszę iść do pracy, będzie tu sama?

– Przecież ja się nią zajmę, to oczywiste – odrzekł. – A dzisiaj pójdziemy na zakupy.

Dziwnie się czułem, gdy we troje wędrowaliśmy w poszukiwaniu sklepów z damskimi ubraniami. Feliks zaproponował, aby zacząć od domu towarowego na rogu Alej Jerozolimskich i Brackiej, ale w końcu stanęło na tym, że pójdziemy na Ścianę Wschodnią, która nie wyglądała już jak bieda z nędzą, a na parterze wieżowców okna wystawowe przyciągały wzrok przechodniów. Ania chyba nie miała jakichś wielkich oczekiwań, przyjechała w dżinsach i zamszowej kurtce. To były rzeczy, które Zosia przekazała tym ludziom ze Stasi wraz z torbą z pieniędzmi. Jej ubrania nie były nowe, ale tutaj mogły stanowić przedmiot westchnień niejednej młodej dziewczyny.

Kiedy znaleźliśmy się na Marszałkowskiej, nagle pojawił mi się przed oczami widok tej ulicy tuż po powstaniu, stojące rzędem spalone kamienice, z daleka straszyły ich zwęglone kikuty. O dziwo, zachował się dom z numerem 102, który przed wojną był wpisany do rejestru zabytków, zrównały go jednak z ziemią buldożery i ja się pośrednio do tego przyczyniłem, gdyż moja pracownia wygrała konkurs na projekt Ściany Wschodniej... Zawahałem się, czy nie powiedzieć o tym córce, ale Feliks musiałby jej to przetłumaczyć, a ona niewiele by z tego zrozumiała. Sporo rowów trzeba będzie zakopać, zanim się odnajdziemy...

Czekaliśmy na nią, kiedy wchodziła do przymierzalni, a potem wychodziła, prezentując nam bluzki, spódnice i marynarki. Po jej minie widziałem, że nie jest zachwycona. Powiedziała do Feliksa, że to nie jej styl, a te ubrania dziwnie pachną. W końcu coś jednak wybrała i udaliśmy się na poszukiwanie butów. Wstąpiliśmy też do Harendy, ulubionej restauracji Feliksa. Twierdził, że dobrze i tanio można tam zjeść, ale chyba chodziło o to, że knajpa mieściła się nieopodal uniwersytetu i często przesiadywały tu studentki.

– Czy to grzech popatrzeć na coś ładnego? – odrzekł, gdy mu to wytknąłem.

Zauważyłem, że Ania przygląda się z rosnącą ciekawością tym dziewczynom, co chwilę wybuchającym głośnym śmiechem, biła od nich młodość i beztroska. A moja córka była skazana na towarzystwo dwóch takich smętnych, podstarzałych typów jak ja i Feliks.

– Studentki – wyjaśnił jej mój przyjaciel.

– Są ładnie ubrane – odrzekła, i była w tym chyba pretensja do nas, że zaprowadziliśmy ją nie do tych sklepów co trzeba.

– Aniu, to cudotwórczynie – odparł Feliks. – One z niczego wyczarują dla siebie kieckę jak z paryskiego butiku, w sklepie tego nie kupisz...

A potem był wieczór. Ania zaraz poszła do swojego pokoju, a ja, siedząc samotnie w kuchni, piłem piwo. Targały mną różne uczucia, ta bliskość i jednocześnie obcość mojej odnalezionej córki okazywała się czymś bardzo bolesnym.

Wiadomości od Ola nie nadchodziły, w związku z tym zdecydowaliśmy, że Feliks wywiezie Anię na Mazury, gdzie miał domek letniskowy. Najłatwiej jest ukryć się w tłumie, a właśnie zaczęły się wakacje i ludzie wyjeżdżali na urlopy. Siedziałem w opustoszałej Warszawie pełen obaw już nie tylko o bezpieczeństwo Ani, ale też o nas wszystkich. Jeden nieuważny krok, jedno potknięcie i cały plan mógłby wziąć w łeb.

Miałem się z nimi kontaktować tylko w razie jakichś konkretnych działań, jednak nie mogąc sobie znaleźć miejsca, w najbliższą sobotę wybrałem się na Mazury. Domek zastałem zamknięty na cztery spusty. Minęło kilka godzin, a oni się nie pojawiali. Wydało mi się to niepokojące, ale nie chciałem wypytywać sąsiadów, nie byłem zorientowany, co Feliks im powiedział na temat swojej współlokatorki. Sąsiadował z dwojgiem Mazurów, bardzo już wiekowych, lecz zawsze chętnych do pomocy, kupowało się od nich mleko prosto od krowy, miód, mieli przydomową pasiekę. Opiekowali się też domkiem pod nieobecność Feliksa. Z nimi Ania mogłaby porozumiewać się po niemiecku, ale miałem nadzieję, że mój przyjaciel nie wpadł na taki pomysł. Posiedziałem na tarasie, a potem poszedłem do oddalonej o kilka kilometrów smażalni ryb, zamówiłem filet z karpia i piwo. Wokół mnie przy stolikach siedzieli młodzi ludzie, rozluźnieni, co chwilę wybuchający śmiechem. Zazdrościłem im tej pogody ducha, ja miałem ściśnięty żołądek i z trudem przełykałem swój filet, spodziewając się najgorszego. W domu nie zastałem nikogo także po powrocie, a to mogło oznaczać jedno: zostali aresztowani. Postanowiłem włamać się do domku, a rano zacząć rozpytywać ludzi. Tutaj wszyscy wszystko o sobie wiedzieli. Majstrowałem właśnie przy jednej z okiennic, kiedy na ścieżce odezwały się kroki. Dzięki Bogu należały do Ani i Feliksa.

– Co się z wami działo? – spytałem ostro.

– A... wybraliśmy się na wycieczkę statkiem, z portu w Rucianem – wyjaśnił Feliks i aby nie było wątpliwości, dodał: – Ania była zachwycona.

– Ona tu nie jest na wakacjach – warknąłem. – A gdyby ktoś ją znienacka zagadnął i odpowiedziałaby po niemiecku?!

– Wielkie rzeczy – zbagatelizował sprawę. – Niemiecka turystka, i tyle. Nie ma o co robić awantury.

– Umawialiśmy się, że nie będziecie się stąd ruszać!

– Miałem z niej zrobić więźnia? Już odsiedziała swoje. A ty z czym przyjechałeś? Czy coś się ruszyło?

– Jeszcze nic konkretnego nie wiadomo – odrzekłem z niewyraźną miną.

– To z jakiej paki tu jesteś? Inaczej się umawialiśmy – pastwił się nade mną Feliks.

Ania stała z boku, była milczącym świadkiem naszej kłótni.

W końcu wszyscy troje weszliśmy do domku. Po kolacji ona poszła spać, a my siedzieliśmy w kuchni. Feliks rozlał do kieliszków nalewkę na spirytusie.

– Na zgodę – powiedział.

– Nie lubię, jak robisz z siebie harcerzyka. – Ciągle byłem nastroszony. – Wykorzystujesz fakt, że nie potrafię porozumieć się z córką, i wchodzisz w nie swoje buty.

– Wiem nawet w czyje.

– Co za domyślność!

– Daj spokój, Jurek. Znamy się jak łyse konie, wal, o co masz żal.

– O to, że nic mi nie mówisz, a ja może chciałbym znać więcej szczegółów z uwolnienia Ani, szmuglu pieniędzy do Berlina Wschodniego, rozmów z tymi ze Stasi...

Feliks milczał chwilę.

– W takich sprawach lepiej wiedzieć jak najmniej.

– Bo co, wzięliby mnie na tortury i wszystko bym wyśpiewał?

– Takie są zasady konspiracji.

– Śmieszny jesteś!

– Może i jestem śmieszny, ale to dzięki mnie twoja córka śpi teraz za ścianą. Co do Zofii – przeszła przez bramkę z podręczną torbą, nikt jej nie zatrzymał. Ludzie na jej widok bili brawo i po jednej, i po drugiej stronie. Pomogła znana twarz, na co liczyliśmy. A rozmowy z tymi ze Stasi były bardzo konkretne, wszystko trwało niecały kwadrans. Przekazałem gotówkę, dostałem instrukcje, gdzie mam czekać na Anię. I tyle.

– To swoją drogą zdumiewające, jak gładko wszystko poszło – mruknąłem.

– Dopisało nam szczęście.

Nie skończyło się na jednym kieliszku, wysączyliśmy niemal całą nalewkę, była mocna, zaszumiało nam w głowach.

– Ty mi też niewiele mówisz – stwierdził Feliks. – Jak jest między tobą i Zosią, zejdziecie się?

– Nie wiem – odrzekłem zgodnie z prawdą. – Ciągle szukam w niej tamtej dziewczyny, która już nie istnieje... I nie chodzi o to, że Zośka zmieniła się fizycznie. Ja też nie wyglądam na dwudziestolatka, ta wyrwa między nami się nie zmniejsza, chociaż jesteśmy pełni dobrej woli, oboje się staramy...

– Może właśnie za bardzo się staracie, puśćcie to na żywioł. Macie wiele do zrobienia, ona musi odbudować więź z córką, a ty stworzyć ją od nowa.

– A co Ania o tym myśli? Rozmawiałeś z nią? Chodzi mi o jej stosunek do matki.

Feliks potrząsnął głową.

– Nie chcę jej denerwować. Stąpa po cienkim lodzie.

– Wydaje mi się, że zdobyłeś jej zaufanie.

– Chyba tak, ostatnio spytała mnie o protezę, odrzekłem, że jestem jednorękim bandytą, bardzo się śmiała.

– A co jej powiedziałeś o mnie?

Feliks wyraźnie poczuł się zakłopotany.

– O tobie nie rozmawialiśmy.

W następną sobotę, jadąc na Mazury, miałem już do przekazania ważne wiadomości. Pracownik ambasady amerykańskiej doręczył mi list, który dotarł do Warszawy w poczcie dyplomatycznej. Był od Olka.

> Cześć Wam, konspiratorzy,
> po głębokiej analizie i uruchomieniu kontaktów plan wygląda tak: Jerzy, wykup dla siebie i Ani bilety lotnicze, koniecznie powrotne!, do Warny, wylot piętnastego sierpnia bułgarskimi

liniami lotniczymi, o dwudziestej drugiej, powrót trzydziestego sierpnia. Nie bierz żadnej wycieczki, powiedz, że poszukacie prywatnej kwatery. Spotkam Was na lotnisku. Bądźcie dobrej myśli.

Z braterskim pozdrowieniem, ściskam dłoń

Olo

PS Nie rzucajcie monetą, który pojedzie z młodą damą na wakacje, bo Ty, Feluś, jesteś postać charakterystyczna przez swoją rączkę, ale to chyba dla Was oczywiste.

List dla bezpieczeństwa spaliłem w popielniczce, a treść wiernie przekazałem Feliksowi.

– Ile kasy potrzebujesz na ten wyjazd? – Feliks zadał konkretne pytanie.

– Jeszcze nie wiem, ale to nie są jakieś nadzwyczajne sumy, raczej będzie mnie stać.

Zaraz po powrocie do Warszawy udałem się do biura paszportowego i wypełniłem wniosek. Otrzymałem termin na piętnastego lipca, ale po negocjacjach mogłem się zgłosić już drugiego. I to wszystko dzięki urokowi osobistemu, który tak działał na kobiety, nawet te w mundurze. Potem zarezerwowałem bilety na samolot, w najbliższym biurze turystycznym w Domu Chłopa, pozostawały jeszcze inne związane z wyjazdem zadania: odbiór dewiz, voucherów.

Siedzieliśmy we troje na pomoście obok domku Feliksa, przedwieczorną ciszę mącił tylko szelest wiatru w trzcinach, taki sielsko-anielski obrazek, ale była to cisza przed burzą, a nawet nawałnicą, która mogła roztrzaskać życie naszej trójki, bo mimo że Feliks nie był bezpośrednio zaangażowany w przewiezienie Ani przez granicę, bardzo to wszystko przeżywał. Może było mu z tym nawet trudniej. Ania spytała, dlaczego to nie on z nią leci. Postanowiłem odpowiedzieć jej po angielsku:

– Powinniśmy wtopić się w tłum podróżnych, a Feliks z racji swojej choroby...

– Jakiej choroby, kalectwa, nazywaj rzeczy po imieniu! – wtrącił się.

– Nie wiem, jak jest kalectwo po angielsku – mruknąłem.

– To ja ci powiem: *disability*.

– *Invalidity* – poprawiła go Ania.

– O nie, *my darling*, wymądrzać się możesz po niemiecku, w mojej karcie zdrowotnej napisano: *disabled war veteran*!

– A kiedy to ty byłeś w Anglii? – spytałem po polsku. – Sporo musiałeś nałgać biednej dziewczynie.

– Kiedy Olo załatwiał mi protezę, tak właśnie napisali!

Ania patrzyła na nas z niepokojem, myślała pewnie, że znowu się kłócimy. Biedactwo, była zdana na dwóch takich oryginałów jak my, delikatnie mówiąc. Ale najważniejsze, że wreszcie zdobyłem się na to, aby odezwać się w zrozumiałym dla niej języku. Przez te kilka tygodni Ania uczyła się języka migowego, na wypadek gdyby ktoś chciał ją sprawdzić. Feliks uważał, że może się nawet mylić, w końcu w zaświadczeniu o stanie zdrowia było napisane, że jej głuchota w znacznym stopniu ogranicza sprawność umysłową. Nie dało się tego ominąć, bo zaświadczenie było autentyczne.

Na kilka dni przed odlotem Feliks wyjawił mi dalsze szczegóły planu przerzutu Ani na Zachód. Przede wszystkim sprawa paszportu. Spytałem, co będzie, kiedy powrót tej Anny Chyły nie zostanie odnotowany.

– Właśnie o tym chciałem z tobą mówić. Niedługo przed twoim powrotem zawiadomisz linie lotnicze i konsulat w Warnie, że dziewczyna jest chora i wróci pociągiem w późniejszym terminie. Wtedy nikt nie będzie robił afery, że nie ma jej na pokładzie. Na szczęście nie można porównać listy pasażerów lotniczych z listami osób odprawionych przez kontrole graniczne.

– A jak będą chcieli to sprawdzić?

Feliks wzruszył ramionami.

– Pokaż mi urzędnika, który jechałby do innego miasta, żeby coś takiego sprawdzać.

– A jeśli taki się znajdzie? – nie ustępowałem.

– To Ania wskoczy pod kołdrę i będzie bardzo niedysponowana!

Feliks chciał nas odwieźć na lotnisko samochodem, ale wolałem zamówić taksówkę, bo stale obserwował, jak się zachowuję i czy nie puszczają mi nerwy. Ale przy pożegnaniu to on się rozkleił.

– Nawet nie będę wiedział, czy wam się udało – rzekł, starając się opanować tik w policzku, który pojawiał się zwykle, kiedy był czymś przejęty.

– Jeśli się nie uda, dowiesz się z prasy – pocieszyłem go.

Warszawskie lotnisko pękało w szwach, był sezon urlopowy i moi rodacy chcieli choć na chwilę wyrwać się z codziennej monotonii. Pierwszy próg to było otrzymanie kart pokładowych. Za pulpitem urzędowała młoda dziewczyna w niebieskim mundurze. Spytała Anię, gdzie chce siedzieć w samolocie, a ja pospieszyłem z odpowiedzią.

– Dla niepalących, przy oknie.

– A ta pani to niemowa? – spytała niezbyt uprzejmie.

– Właśnie tak, w dodatku jest głucha.

Dziewczyna odezwała się już zupełnie innym tonem:

– Pewnie chcą państwo siedzieć razem?

– Jakby się dało – odparłem.

Dało się. Wręczając Ani kartę pokładową, panienka w mundurze nawet uśmiechnęła się do niej. Teraz odprawa paszportowa, jeśli jedno z nas popełniłoby błąd, konsekwencje byłyby nieobliczalne. Na naszą korzyść działało to, że pora była późna, w sali odpraw kłębili się ludzie, panował harmider, płakały jakieś dzieci, poza tym przy wyjazdach do demoludów czujność pracowników lotniska była osłabiona. Pewnie na to liczył Olo, ale chwila, kiedy oficer WOP-u przeglądał paszport Ani, ciągnęła się w nieskończoność. Spojrzał na nią, potem na fotografię, potem znowu na nią. A przecież był to dokument innej osoby, ze zdjęciem, które mogło budzić wątpliwości. Zauważyłem pulsującą żyłkę na szyi córki i modliłem się w duchu, aby nie wpadła w panikę, gdy on ją o coś zapyta. Oddał jej paszport bez słowa, po czym nacisnął przycisk, Ania pchnęła bramkę i to był jej pierwszy krok ku wolności.

Nawet gdy już siedzieliśmy w samolocie, starałem się zachować czujność, bo dopóki nie wznieśliśmy się w powietrze, zawsze jeszcze mogli pojawić się mundurowi i wyprowadzić nas w kajdankach. Odetchnąłem z ulgą, kiedy odjechały schody, spojrzeliśmy na siebie i ona pierwszy raz się do mnie uśmiechnęła.

W Warnie wylądowaliśmy po północy, znowu odprawa paszportowa i ciasna, zatłoczona poczekalnia. Szukałem wzrokiem Ola, który z pewnością wyróżniał się w tym tłumie. Stał oparty o framugę drzwi, jakby w każdej chwili przygotowany do odwrotu. Widać on też nie czuł się pewnie. Zauważył nas i z szerokim uśmiechem zaczął się przeciskać w naszą stronę. Właściwie się nie zmienił, przybyło mu tylko trochę siwych włosów. Możliwe, że zafundował sobie operację plastyczną, bo prawie nie miał zmarszczek, a było nie było, dobiegaliśmy obaj do sześćdziesiątki. Wyściskał mnie, a potem ucałował Anię w oba policzki, co ją zaskoczyło i chyba przeraziło.

– Jestem twoim wujkiem, wolno mi – powiedział.

– Ona nie zna polskiego i – uwaga! – nie wie, że jestem jej ojcem.

Przyjaciel spojrzał na mnie w osłupieniu.

– Jak to nie zna polskiego? Myślałem, że jest dwujęzyczna.

– Niestety, Zośka popełniła poważny błąd. Trzeba mówić po angielsku.

W tym momencie Ania spytała o toaletę, zrobiłem ruch, jakbym chciał iść za nią, ale Olo przytrzymał mnie za ramię.

– Co ty, jesteś jej niańką?

– Wiesz, myśmy to tak zorganizowali, że ma papiery głuchoniemej.

– Ale już odzyskała mowę!

Patrzyliśmy za nią, jak znika w tłumie.

– Tyle zachodu dla takiego chuchra, nie postarałeś się, stary – powiedział.

Żachnąłem się, a on się roześmiał.

– Przecież to żart, strasznie w tej komunie jesteście nerwowi. Powiem ci też, że gdy tak szliście w moją stronę, od razu rzuciło mi się w oczy, że idzie ojciec z córką.

– Naprawdę!?

– Naprawdę, widzę rodzinne podobieństwo. Mam dla niej paszport czy jak wolisz, nowe życie. Od dzisiaj jest Austriaczką urodzoną w Wiedniu, nazywa się Anna Postering.

Córka wróciła i ruszyliśmy na parking. Olo przyleciał wcześnie rano, więc zdążył wynająć samochód.

– Wyruszamy do Słonecznego Brzegu – zakomunikował – stąd godzina drogi... Anna i ja mamy zarezerwowane pokoje w hotelu, dla ciebie wynająłem coś prywatnie, z okien widać morze, więc trafiłeś najlepiej.

Ona oglądała swój nowy paszport, w samochodzie panował półmrok, więc niedokładnie widziałem jej twarz.

– Tutaj jest błąd! Urodziłam się piątego marca, a nie drugiego kwietnia! I... w pięćdziesiątym trzecim, a nie czwartym roku!

– I bardzo dobrze, jesteś o rok młodsza, dla kobiety to jak prezent. A poza tym w rejestrze osób poszukiwanych można kogoś zidentyfikować po dacie urodzenia!

– Ale ta Anna Postering brzmi jak z taniej powieści!

Olo zjechał na bok i zatrzymał samochód, był wściekły.

– Wiesz co, panienko, powiem ci tyle: wiele osób zaangażowało się w to, aby zdobyć dla ciebie wiarygodne papiery! Siedziałaś po uszy w bagnie, a myśmy cię z tego bagna wyciągnęli. Zresztą, jeśli chodzi o mnie, to nie kiwnąłbym palcem dla kogoś, kto wspomagał terrorystów! Zrobiłem to dla twoich... dla twojej matki, z którą się przyjaźnię i którą szanuję...

– Ale ja jej nie szanuję! To przez nią stałam się taka! – zawołała moja córka z łkaniem w głosie i wybiegła z auta.

– Po co to, Olek?! – powiedziałem z wyrzutem. – Niech się smarkata czegoś nauczy!

Wysiadłem z samochodu, Ania siedziała na poboczu szosy, z kolanami pod brodą. Dokładnie tak jak pierwszego dnia w moim warszawskim mieszkaniu, widocznie to była jej pozycja obronna. Usiadłem obok.

– Mogę zapalić?

– Proszę...

– Wiesz, Olo jest porywczy – próbowałem ratować sytuację moim angielskim – ale to bardzo dobry człowiek, serdeczny przyjaciel, wiele razem w młodości przeszliśmy i zawsze mogłem na nim polegać...

– Tak jak na Feliksie?

– Właśnie.

– Feliks mi powiedział, że nazywano was Trzema Muszkieterami.

– Jeszcze za czasów szkolnych...

W tym momencie dołączył do nas Olo, usiadł obok i też zapalił papierosa.

– No, przeszły ci fochy? – spytał, ale nie odpowiedziała. – Radzę ci się zaprzyjaźnić z Anią Postering, nie masz wyjścia... i chodźmy już do samochodu, bo nas przyuważy jakaś bułgarska policja!

Ruszył pierwszy, pomogłem Ani wstać i też wsiedliśmy do auta. Resztę drogi do kurortu przebyliśmy w milczeniu, ale kiedy pojawiły się światła Słonecznego Brzegu, Ania powiedziała cicho:

– *I am sorry...*

Najpierw pojechaliśmy na moją kwaterę, domek był murowany z czerwoną dachówką, na parapetach stały doniczki z kwiatami. Mimo późnej pory czekano tam na nas. Gospodyni, starsza, otyła kobieta, miała na sobie chyba strój narodowy: białą bluzkę, czerwony wyszywany serdak i szeroką spódnicę, przypominała matrioszkę, więc wcale bym się nie zdziwił, gdyby spod tej spódnicy wyskoczyła inna kobieta, nieco młodsza i chudsza. Pokazała nam pokój, z tapetami na ścianach i żelaznym łóżkiem, i z uśmiechem spytała, czy napijemy się czaju.

– *Da, prijmiem s goljamo udowolstwie, babo!* – odrzekł na to mój przyjaciel.

– Skąd znasz bułgarski? – spytałem, gdy poszła po ten czaj.

Olo zrobił odpowiednią minę.

– Przygotowałem się!

– A ta „baba", czy to nie jest niegrzeczne? – drążyłem.

– To babcia, po prostu! Jak po rosyjsku *babuszka*.

Ania patrzyła na niego z niekłamanym podziwem. Potem się okazało, że Olo opanował kilka zwrotów z rozmówek bułgarsko-angielskich, ale trzeba przyznać, miał małpią zdolność do języków. Z moją córką nawet próbował rozmawiać po niemiecku. Wypiliśmy herbatę i oni pojechali, a ja mimo niezbyt wygodnego łóżka – było dla mnie nieco za krótkie – zasnąłem kamiennym snem. Obudziło mnie dopiero pukanie do drzwi. Usłyszałem głos Ola.

– Wstawaj, śpiochu! Czekamy na ciebie na dole!

Śniadanie zjedliśmy w pobliskim barze, na powietrzu, pod parasolem, gdzie mój przyjaciel przedstawił nam resztę planu. Musimy zachowywać się jak turyści i pozostać tu dwa tygodnie, aby nie wzbudzać podejrzeń. Prowadzi tędy szlak narkotykowy i to głównie narkotyków szuka się w bagażach pasażerów. Łatwiej można stąd przemycić człowieka niż biały proszek.

– Dlatego Bułgaria! – domyśliłem się.

– Więc korzystajmy, kochani. Słońce, piasek, morze, czego chcieć więcej! – Olo uśmiechnął się.

– A co dalej? – spytałem, zły, że celowo stopniuje napięcie i że zawsze jestem ostatni, który się dowiaduje. Oboje z Anią zaniepokojeni patrzyliśmy mu na usta.

– Co dalej? – powtórzył. – Dalej to ja i Anna lecimy do Kairu, a ty wracasz do Warszawy.

– Dlaczego do Kairu?

– Bo zabierze nas stamtąd do Kenii moja żona, już otrzymała zgodę na lądowanie.

Ania spojrzała na mnie, chcąc sprawdzić moją reakcję.

– To baśń z tysiąca i jednej nocy? – spytałem.

– W poważnych sprawach nie żartuję.

– Twoja żona przyleci samolotem, jako pilot?

– Właśnie, mamy awionetkę. To naprawdę najbezpieczniejsza część planu. Myślę, moi drodzy, że najgorsze za nami! Muszę przyznać, że dopóki was nie zobaczyłem w sali przylotów, czułem się raczej kiepsko. A teraz chodźmy na plażę!

Plaża była zatłoczona, jednak udało nam się rozłożyć leżaki pod czymś, co przypominało afrykańską słomianą strzechę. My z Olem zdjęliśmy ubrania, pozostając w kąpielówkach, ale Ania poszła się przebrać, nie miała na sobie kostiumu.

– Twoja nowa żona też jest Amerykanką? – spytałem.

– Zgadza się.

– Wzięliście ślub czy żyjecie na kocią łapę?

– Tygrysią, bo właśnie kurujemy takiego delikwenta sponiewieranego we wnykach.

– A poważnie?

– Mamy papier, jeśli o to ci chodzi.

– Jest od ciebie młodsza?

Nie usłyszałem odpowiedzi, więc uniosłem się na łokciu i spojrzałem na przyjaciela.

– Związałeś się z małoletnią?

– Przeciwnie.

Pewnie dalej prowadziłbym swoje śledztwo, ale zobaczyliśmy Anię i to było dla nas obu dużym zaskoczeniem. Szła w naszą stronę niezwykle zgrabna dziewczyna, o wprost idealnych proporcjach.

– I Bóg stworzył kobietę – wyartykułował Olo. – Cofam to, co powiedziałem na lotnisku!

Ania nieświadoma wrażenia, jakie na nas zrobiła, ze spokojem położyła się na leżaku, wystawiając twarz do słońca. Ja starałem się ochłonąć. Z jednej strony byłem dumny, że mam taką piękną córkę. Mój przyjaciel porównał ją nawet do młodziutkiej Brigitte Bardot. Z drugiej zacząłem się obawiać wszystkich męskich spojrzeń, poczynając od jego.

– Niech cię ręka boska broni, żebyś sobie zaczął coś wyobrażać! – warknąłem.

– Pedofilem raczej nie jestem – odrzekł.

To się okaże – pomyślałem, i na wszelki wypadek postanowiłem go obserwować.

Dobrze pamiętałem jego wyczyny z czasów młodości, nie odpuścił żadnej, nawet w powstaniu obściskiwał koleżanki, wmawiając wszystkim, że to jego narzeczone. A najgorsze, że one same mu wierzyły. Może teraz, na starość, się zmienił, ale kto go tam wie. Mieszkają z Anią w hotelu na tym samym piętrze.

Wieczorem zjedliśmy kolację w hotelowej restauracji, po czym Ania oświadczyła, że czuje się zmęczona i idzie na górę, a my usiedliśmy na ławce przed hotelem, żeby zapalić.

– Zośka zrobiła błąd, nie ucząc córki języka polskiego – powiedział. – A ty to powtarzasz, utrzymując ją w nieświadomości, kim dla niej jesteś. Może ci tego nie wybaczyć!

– Dyskutowaliśmy o tym z Feliksem i obaj zgodnie przyznaliśmy, że w tym momencie to by było dla niej za dużo. Jej życie rozpadło się na kawałki, najpierw musi je poskładać.

– Jest młoda, może znieść więcej, niż ci się wydaje, a nie ma nic gorszego od kłamstwa!

Trudno było mi się z nim nie zgodzić, a jednak podświadomie czułem, że to nie jest moment na ujawnienie Ani prawdy o naszym pokrewieństwie.

Następnego dnia Olo przestudiował przewodnik po Bułgarii i postanowił, że wybierzemy się na wycieczkę tam, gdzie strome klify wiszą siedemdziesiąt metrów nad wodą, w skałach znajdują się jaskinie i groty, na końcu kanionu zaś jest przepiękna plaża.

– A ja ze względu na architekturę chciałbym zwiedzić Neseber, są tam cerkwie z okresu Bizancjum – powiedziałem.

– Zdążymy, Neseber trzeba zwiedzać wieczorem, bo co krok będziemy się potykać o turystów.

To przeważyło i wyruszyliśmy na wycieczkę na klify. Można byłoby zachwycać się po drodze przepięknymi widokami, gdyby nie góry śmieci widoczne nawet z okien samochodu.

– Albo tu mieszkają same brudasy – powiedział Olo – albo tylko brudasy tu przyjeżdżają...

– Pewnie i to, i to – odrzekłem. – Ale tak jest wszędzie, wiesz, ile ton śmieci wywożą ze szlaków w Tatrach po sezonie turystycznym!

– Tatry! Co ja bym dał, żeby znaleźć się tam chociaż na chwilę! Pamiętasz naszą wycieczkę na Zawrat?

– Jasne.

– Który z nas pękł pierwszy?

– No... w końcu się nam udało.

– W końcu tak. – Roześmiał się.

Rozmawialiśmy po polsku i Ania nie rozumiała, z czego się śmiejemy. Opowiedziałem jej o naszych obtartych piętach i spalonych słońcem plecach. Mieliśmy wtedy po czternaście lat i pierwszy raz wyrwaliśmy się spod kurateli rodziców.

Miejsce, które wypatrzył Olo, było naprawdę niesamowite, a co nie mniej ważne, nieoblegane przez turystów. Może dlatego, że trzeba było tu dojechać samemu. Nad taflą wody wisiały klify niczym wielkie, kostropate narośla, na które oczywiście Olo i Ania postanowili się wspiąć. Ja poszedłem wzdłuż kanionu poszukać skrawka plaży i natrafiłem na miejsce z trzech stron osłonięte skałami, a na wprost widniała szmaragdowa, mieniąca się w słońcu tafla wody. Położyłem się na piasku, przymknąłem oczy i prawie natychmiast zasnąłem, oni ledwo zdołali mnie dobudzić.

– Nie wolno spać na słońcu – zrugał mnie Olo – można dostać udaru!

– Ale za to jakie miałem sny!

– No? – zainteresował się. – Śniły ci się półnagie nimfy w wiankach na głowach?

– Nic z tych rzeczy. Śniła mi się wystawa samochodów w Paryżu, na której w tysiąc dziewięćset dwudziestym szóstym roku byłem razem z ojcem. Te wszystkie rolls-royce'y, mercedesy, chevrolety, chryslery, oczy mi wychodziły z orbit.

– I co z nich teraz zostało, kupa zardzewiałej blachy, i tyle – skwitował dość pogardliwie przyjaciel. – A my z Anią zwiedziliśmy dwie jaskinie i jedną grotę!

– W takim razie możemy wracać – podsumowałem.

Następny dzień zaczął się od awantury, bo zgodnie z umową zjawiłem się wczesnym rankiem w hotelu i wchodząc na piętro, spostrzegłem Anię wymykającą się z pokoju Ola. Była w szlafroku. Znalazłem go w łazience. Z gołym torsem, opasany na biodrach ręcznikiem, pogwizdując, golił się przed lustrem. Widząc moją minę, wyraźnie się zaniepokoił.

– Jakaś wpadka?

– Co moja córka robiła w twoim pokoju? – odpowiedziałem pytaniem.

On się roześmiał.

– Oszalałeś! O co ci chodzi?

– O to, że to młoda dziewczyna i nie wypada, żebyś ją przyjmował na wpół nago!

– Nie zapraszałem jej, sama przyszła pożyczyć suszarkę!

Chyba mówił prawdę, ale był to sygnał, że z moimi nerwami coś jest nie tak. Właściwie obawiałem się wszystkiego, że jakiś przechodzień rozpozna Anię na ulicy i doniesie o tym na milicję, że w Polsce wyda się sprawa z paszportem „słupa", czyli dziewczyny z białostockiej wsi, i tajniacy nocą zjawią się w hotelu w Warnie, o to także, że żadna kobieta, stara czy młoda, nie mogła się czuć bezpiecznie, kiedy mój przyjaciel był w pobliżu. Musiałem się uspokoić.

Cały dzień spędziliśmy na plaży, robiąc sobie tylko przerwę na obiad, a pod wieczór wybraliśmy się pieszo do Neseberu, oddalonego o kilka kilometrów. Miasto położone było na cyplu połączonym z lądem wąskim przesmykiem. Pomysł, aby nie wybierać się tam z samego rana, okazał się znakomity, mijało nas bowiem wielu wracających stamtąd turystów. Zobaczyliśmy fragment murów obronnych, a zaraz za nimi ukazały się pierwsze domy z drewnianymi galeryjkami, ustawione wzdłuż wąskich, krętych uliczek prowadzących nie wiadomo dokąd. Mnie interesowały rozsiane po całym mieście cerkiewki budowane w stylu bizantyjskim, z charakterystycznymi poprzecznymi pasami z czerwonego i białego kamienia. Szczególnie jedna z nich, w bocznej uliczce, wydała mi się warta uwagi, prowadziły do niej drzwi o oryginalnych okuciach – ciekawy przykład kowalskiego rzemiosła. Pokazywałem je Ani, kiedy z wnętrza cerkwi wyszła stara kobieta, cała ubrana na czarno, spod chusty wystawały siwe włosy. W jej twarzy było tyle cierpienia, że to nami wstrząsnęło. W milczeniu patrzyliśmy za nią, jak wolno schodzi stromą wybrukowaną uliczką. Widać było, że nie czuje się pewnie. W tamtym momencie, chyba po raz pierwszy, nawiązała się między mną i Anią cieniutka nić porozumienia, które omal nie zostało zaprzepaszczone przez nieodpowiedzialny postępek mojego przyjaciela. Po wczesnej kolacji popijaliśmy w jego pokoju wino, grając w różne gry, między innymi zgadywaliśmy, co jest prawdą, a co fałszem.

– Einstein był łysy, prawda czy fałsz? – zaczął Olo.

– Fałsz – odpowiedziałem.

Teraz ja do Ani:

– Królowa Wiktoria miała wąsy.

– Fałsz!

– Nic podobnego – odrzekłem. – Nawet na portretach domalowywano jej słynny wąsik!

Ania do mnie:

– Kopernik była kobietą.

– Prawda – odparłem.

– Na sto procent był mężczyzną! – zaoponowała.

– A właśnie że nie! Niedawno odnaleziono w katedrze fromborskiej jego grób i badania genetyczne dowodzą, że mógł być kobietą.

Przyjrzała mi się uważnie, czy jednak nie żartuję, ale starałem się zachować powagę.

– To trochę dziwne – powiedziała.

– Nawet bardzo dziwne – potwierdziłem.

Olo do Ani:

– Jurek jest twoim ojcem, prawda czy fałsz?

– Fałsz – odrzekła bez zastanowienia.

– Jesteś pewna? – spytał.

– Tak, jestem pewna. – Spojrzała na niego zdziwiona.

– To przynieś lusterko!

– Po co?

– Przekonasz się.

Nie wiedziałem, jak mam się w tej sytuacji zachować, piorunowałem go wzrokiem, ale nie patrzył w moją stronę, a kiedy Ania przyniosła z łazienki lusterko, powiedział:

– Przyjrzyj się sobie i popatrz na Jurka! Na jego brwi, usta, nos... Widzisz podobieństwo?

Ania spojrzała w lusterko, przeniosła wzrok na mnie, po czym zerwała się i wybiegła z pokoju.

– Świetnie, gratuluję – wycedziłem.

– Trzeba było wreszcie przeciąć ten wrzód – odrzekł na to ze spokojem Olo. – Każdy ma prawo wiedzieć, kto jest jego matką, a kto ojcem.

Zaczęło się ściemniać, a Ani nie było ani w hotelu, ani w pobliskiej kawiarence, ani na pustej już plaży. Bardzo mnie to zaniepokoiło, nie przyjechaliśmy tu na wakacje, a ona nie była bezpieczna. Olek dość skruszony przyłączył się do poszukiwań.

– A jeśli zrobiła jakieś głupstwo... – rzekłem przybity.

– Co masz na myśli?

– Nie wiem, nigdzie jej nie ma. Ostrzegałem cię, że jest za wcześnie na takie rewelacje.

– Dla ciebie zawsze byłoby za wcześnie, ty się boisz własnej córki – odrzekł zniecierpliwiony.

– Boję się o nią!

– Niepotrzebnie. Na ile ją zdążyłem poznać, nie jest typem samobójczyni.

W pewnym momencie olśniło mnie, gdzie mógłbym ją znaleźć, ale nie zwierzyłem się Olkowi, a nawet zaproponowałem, aby się rozdzielić. W Neseberze skierowałem się do położonej na uboczu cerkwi i już z daleka zobaczyłem Anię, siedzącą na ławce pod murem świątyni. Kiedy podszedłem, nawet na mnie nie spojrzała. Usiadłem obok bez słowa.

– Naprawdę jesteś moim ojcem? – spytała po długiej chwili.

– Naprawdę.

– Ja zawsze czułam, że coś jest nie tak, że Manfred... to ktoś obcy. Dlaczego ona mi nie powiedziała i dlaczego ty mi nie powiedziałeś?

– Zapytaj, dlaczego wybuchła druga wojna światowa, dlaczego po tej wojnie kraj mój i twojej matki dostał się do komunistycznej niewoli, dlaczego ona myślała, że zginąłem, i uciekła na Zachód... Chciała dla ciebie jak najlepiej... Urodziłaś się w wolnym świecie!

Milczenie.

– Kiedy się odnaleźliście?

– Na początku zeszłego roku. Opera berlińska gościnnie wystawiała *Toscę* w Warszawie, na scenie rozpoznałem Zosię...

– Zosie? Ma na imię Zosie, nie Eva?

– Zofia.

– Zo-fia – powtórzyła – Sophie?

– A jakie ja bym miała nazwisko?

– Ziarnicka.

– Ziar-nicka, ładniej niż ta Postering, nienawidzę jej! Będę sobie stale powtarzała: nazywam się Anna Ziarnicka!

Potem na długo zamilkła, a ja o nic nie pytałem. Było już całkiem ciemno, podniosła się mgła i latarnie rzucały zamglone światło. Ania wreszcie wstała z ławki.

– Idziesz? – spytała.

– Tak, tak – odrzekłem skwapliwie.

Długi czas szliśmy obok siebie, w pewnej chwili potknęła się, chciałem ją podtrzymać, ale odsunęła moją rękę. Przed hotelem zobaczyliśmy Ola, spacerował, paląc papierosa.

– Widzę, że ojciec z córką się odnaleźli – powiedział na nasz widok. – Trzeba to jakoś uczcić! Może szaleństwo w kasynie?

Ania wyminęła go bez słowa i weszła do środka.

– Bardzo dobrze, niech się z tym prześpi – stwierdził.

Przez kilka kolejnych dni znikała zaraz po śniadaniu. Kiedy rano pojawiałem się w hotelu, zastawałem tylko Ola. Na plaży przeniosła się w inne miejsce. Niepokoiło mnie, że się tak izoluje. Wolałem ją mieć na oku i robiłem przyjacielowi wyrzuty, że się pospieszył z tym odkrywaniem prawdy. To nie był ten moment.

– Daj jej spokój – odpowiadał. – Musi się z tym przespać.

– Już się przespała trzy noce!

– Widać potrzebuje więcej. Nic się złego nie dzieje, to rozsądna dziewczyna. A my mamy okazję pójść na męską wódkę.

No i poszliśmy do baru na końcu plaży, gdzie pachniało rybami i piwem z beczki. Żaden turysta raczej tu nie zaglądał, Olo uwielbiał takie klimaty, ja zdecydowanie mniej. Jednak czułem się jak zbity pies i nie miałem nic przeciw temu, żeby się wyłączyć chociaż na parę godzin. Zaczęliśmy od setki pod śledzia. Po kilku kolejkach świat nabrał nieco jaśniejszej barwy i zacząłem widzieć przyszłość bardziej optymistycznie.

– Ania powinna już zacząć myśleć, co ma zrobić ze swoim życiem, nie będzie przecież wiecznie podcierała tyłków jakimś słoniom!

– Słoniom się tyłków nie podciera, to bardzo czyste zwierzęta! – obruszył się Olo.

– Mówię przykładowo. Afryka powinna być dla niej takim przystankiem, a docelowo może Stany?

– Jeśli tak, to nieprędko – ostudził mnie przyjaciel. – Mogą ją tak samo łatwo zidentyfikować jak w Europie.

– A Ameryka Południowa?

– To już lepiej, ale też bym się nie spieszył. Na razie będzie miała u nas wikt, opierunek i miłość ojcowską...

– I siebie masz na myśli? – spytałem podejrzliwie.

– Nas, kochany, nas. Wszyscy trzej jesteśmy jej ojcami, ty naturalnym, a my z Felkiem przyszywanymi...

– Chyba się trochę zagalopowałeś! – najeżyłem się, miałem już nieźle w czubie.

– A niby dlaczego?

– Bo to moja jedyna córka, a ja jestem jej jedynym ojcem!

– A kto ci ją oddał w posiadanie, byku krasy?! Ja! Aleksander Zanecki herbu Dąbrowa!

Zacząłem go potem wypytywać o obecną żonę, wszystko w kontekście pobytu Ani w schronisku.

– Moja Jane jest cudowna! Bez niej sto razy bym zginął! – stwierdził już nieco bełkotliwie Olo.

– A w tej Kenii nie jest niebezpiecznie?

– Dlaczego? – zdziwił się.

– Mówisz, że byś zginął!

– Przenośnia! Zagubiłbym się na emigracji, bo moja ojczyzna jest tu – wskazał na pierś – i nikt mi nie odbierze Warszawy i ulicy Rozbrat 22 mieszkania pięć.

– Pięć to był nasz numer!

– Co ty mi tu opowiadasz!

– To, co słyszysz. Mieszkaliście piętro wyżej, tak? Więc nie mogło być pięć, tylko siedem!

– Piętro wyżej? Nie cyganisz?

– Niby po co? A wiesz, że nasza kamienica dostała nowe życie, elewacja pięknie odnowiona!

– Tylko nas tam nie ma – stwierdził gorzko.

Resztę pamiętam jak przez mgłę, mój przyjaciel coś tam perorował, wymachując rękami, potem obejmowaliśmy się za szyje i śpiewaliśmy pieśń naszych ojców: „Lance do boju, szable w dłoń, bolszewika goń, goń, goń...”. A potem nagle zobaczyłem przed sobą Anię, miała bardzo zagniewaną twarz. Nie pojawiliśmy się na kolacji, więc zaczęła nas szukać. Mówiła coś podniesionym głosem, głównie do Olka, mnie angielski wyparował z głowy i nie zrozumiałem z tego ani słowa. Nie byłem zresztą do końca przekonany, czy naprawdę ona tam przyszła, ale nazajutrz Olo ten fakt potwierdził. Ania wpadła z awanturą, że Olo rozpija jej ojca! Czyli mnie!

Obudziłem się w swojej kwaterze w ubraniu, nogi wystawały mi daleko poza poręcz łóżka. Strasznie mnie suszyło, zwlokłem się więc i zszedłem do łazienki. Wziąłem prysznic, próbując się potem ogolić, ale ręka tak mi drżała, że dałem spokój. Kiedy wróciłem do pokoju, na stole stało gliniane naczynie z mętnym płynem, którym okazał się sok z kiszonych ogórków! Opróżniając skopek do dna, błogosławiłem w duchu „bułgarską babę", a gdy zjawił się Olo, byłem już w nieco lepszej formie. Po nim nikt by nie poznał, że wiernie towarzyszył mi w nocnej libacji. Był gładko ogolony i bez śladu kaca.

– Czy ty w ogóle jesteś człowiekiem?! – spytałem ponuro, gdy się ze mnie podśmiewywał. – Chyba piłem wódkę z jakimś fantomem!

– Po prostu masz słabą głowę, stary – odparł.

– Ty mnie tu przywiozłeś?

– Przywieźliśmy, Ania prowadziła.

To było jak policzek, że oglądała mnie w takim stanie.

– A gdzie ona teraz jest? – spytałem zgnębiony.

– Czeka na dole w samochodzie, wybieramy się na wycieczkę.

Tego dnia Olo zaplanował podróż do monastyru gdzieś w górach, wyczytał w przewodniku, że to najwspanialszy zabytek w tym kraju i koniecznie trzeba go zwiedzić. Podróżowaliśmy kilka godzin, walczyłem z pozostałościami kaca, bolała mnie głowa, a kiedy samochód podskakiwał na wybojach, żołądek podchodził mi do gardła, przyjaciel zaś tryskał energią, całą drogę coś opowiadał. Ja i Ania milczeliśmy. Kiedy wreszcie dotarliśmy na miejsce, to, co zobaczyliśmy, zrobiło na nas ogromne wrażenie. Kompleks klasztorny wspaniale współgrał z otaczającymi go ze wszystkich stron granitowymi skałami na tle nieba, zachwycał wewnętrzny dziedziniec, który zdobiły trzypiętrowe krużganki pomalowane w czarno-białe pasy. Wszyscy troje byliśmy świadomi, że jest w tym jakaś mistyka...

– Perła ziemi – powiedział z podziwem Olo. – Szkoda, że Jane nie może tego zobaczyć!

A ja pomyślałem: Dobrze, że mogę to oglądać z córką. W tym momencie Ania spojrzała na mnie i lekko się uśmiechnęła.

W drodze powrotnej zatrzymaliśmy się w przydrożnej restauracji. Wybraliśmy stolik na zewnątrz, Ania siedziała naprzeciw mnie i kilka razy przyłapałem jej uważne spojrzenie. O czym wtedy myślała? Czy szukała rodzinnego podobieństwa? Chyba je już znalazła, sądząc po gwałtownej reakcji wtedy z lusterkiem. Chciałem jej powiedzieć, że istnieje taki przesąd, iż córki podobne do ojców mają w życiu szczęście, ale ona pewnie nie uważała swojego życia za szczęśliwe. Była taka młoda, wszystko się mogło jeszcze wydarzyć, miałem nadzieję, że jej los odmieni się na dobre.

W pewnej chwili Olo spytał ją, jaką muzykę lubi.

– Wiem, że byłaś wielbicielką Doorsów...

Ania przytaknęła bez słowa.

– To było dawno. Potem odkryłyśmy z przyjaciółką Pistolsów, to znaczy Sex Pistols, King Crimson. Byli świetni!

– A Led Zeppelin? – wtrącił Olo.

Wyobraziłem sobie, jak Ania mogła się poczuć w tym momencie, ale nawet powieka jej nie drgnęła.

– Wolę zespół Gratefull Dead... – powiedziała.

– W sześćdziesiątym piątym roku byliśmy z Jane na ich koncercie w San Francisco – ucieszył się Olek. – To taka psychodeliczna i folkowa grupa rockowa. Mocna rzecz, podobało się nam.

Nie miałem pojęcia, o czym oni mówią, ale domyśliłem się, że tą przyjaciółką Ani była Meinhof. Nawet po śmierci towarzyszyła mojej córce.

Do Polski wylatywałem trzy dni przed nimi, więc Olo, który miał mnie odwieźć na lotnisko, zapytał Anię, czy też chciałaby mnie odprowadzić. Odpowiedziała wymijająco, że jeszcze nie wie.

– Nie naciskaj na nią – poprosiłem. – Mogę się z nią pożegnać tutaj. W taki upał jazda samochodem jest dosyć męcząca.

Pokiwał na to głową.

– Mogłaby się trochę poświęcić dla starego ojca.

– Nic jej nie mów! – odrzekłem ostro.

– Dobrze, dobrze...

Samolot odlatywał do Warszawy wcześnie rano, więc wieczorem, przed udaniem się do mojej kwatery, postanowiłem się z nią pożegnać.

– Mam nadzieję, że wszystko dobrze się ułoży – powiedziałem. – Pamiętaj, że możesz na nas liczyć, na mamę, Ola, Feliksa, no i na mnie oczywiście.

Sztywno podała mi rękę, a potem odwróciła się i odeszła do swojego pokoju.

– Twarda sztuka. – Olek, który był świadkiem naszego pożegnania, pokręcił głową.

– Daj jej spokój – odrzekłem. – Potrzebuje czasu, żeby sobie wszystko poukładać. W tej chwili jest jak ktoś, kto dryfuje na krze...

– Zawsze miałeś skłonność do przesady – podsumował mój przyjaciel – ale nie będę się wtrącał w wasze sprawy rodzinne.

Rano podziękowałem gospodyni za gościnę i wyszedłem przed dom z bagażami, Olo siedział w samochodzie za kierownicą, ale na tylnym siedzeniu zobaczyłem Anię. W czasie drogi prawie nie rozmawialiśmy, wszystkim nam było markotno.

W hali odlotów panował tłok, bo kończyły się dwutygodniowe turnusy i moi rodacy wracali do domu. Dosyć długo trwało, zanim odprawiłem bagaż i dostałem kartę pokładową, zachęcałem więc

Ola i Anię, aby nie czekali w tym zaduchu, ale postanowili wytrwać do końca. Nadszedł czas, kiedy trzeba było się pożegnać.

– Olo, nigdy ci nie zapomnę, co zrobiłeś dla naszej rodziny! – powiedziałem i chyba głos mi się załamał. – Powierzam ci moją córkę, opiekuj się nią.

– Włos jej z głowy nie spadnie!

Objęliśmy się, starym zwyczajem klepiąc się po plecach.

– Do szybkiego! – powiedział.

Odwróciłem się do Ani, która stała z boku, i zamarłem. Miała tragiczny wyraz twarzy, usta jej drżały, widziałem, że z trudem powstrzymuje łzy. Poczułem się nagle bezradny, bardzo chciałem ją objąć, przytulić, a przecież nie mogłem. Poprosiłem Ola, aby tłumaczył, co chcę jej powiedzieć, w głowie czułem kompletny zamęt.

– Aniu, jesteś moją kochaną córeczką, kocham cię i kochałem cię zawsze, nawet wtedy, gdy nie wiedziałem o twoim istnieniu! Bądź dobrej myśli, wszystko się ułoży, zobaczysz!

– Poeta – mruknął Olek, ale przetłumaczył na angielski moje słowa.

I wtedy ona rzuciła się w moją stronę, objęliśmy się i trwaliśmy tak długą chwilę, a potem pocałowałem ją w czoło i szybko odszedłem. Nie chciałem, aby zobaczyła moje łzy.

W samolocie uświadomiłem sobie, że płakałem po raz pierwszy, odkąd przestałem być dzieckiem.

Potem już myślałem o tym, co będzie, jak wylądujemy na Okęciu, na ile plan Feliksa się sprawdzi i nie skończy się tym, że włożą mi kajdanki i odwiozą do aresztu. Bardzo poważnie brałem taką ewentualność pod uwagę, bo Feliks miewał różne pomysły, jedne były strzałem w dziesiątkę, inne – niestety nie. Mogło tak być i tym razem. Więcej zaufania miałem do Ola, który mimo całej swojej skłonności do wygłupów w sytuacjach wymagających powagi i opanowania sprawdzał się bezbłędnie. Ale teraz było już trochę późno na takie refleksje, najważniejsze, że moja córka była bezpieczna. To znaczy miałem taką nadzieję.

Kiedy stanąłem do odprawy paszportowej, trudno mi było opanować drżenie kończyn dolnych, ale niestety także i górnych, ręka tak mi latała, gdy podawałem paszporty, że głupi by się zorientował, że coś jest ze mną nie tak, ale facet w okienku nawet na mnie nie spojrzał, ostemplował mój paszport i oddał z powrotem. Zadźwięczał mechanizm przy furtce, wyszedłem na wolność.

3

Zdziwiłem się, widząc Feliksa za barierką dla oczekujących, nie umawialiśmy się, że wyjedzie po mnie na lotnisko.

– Co ty jesteś taki blady? Źle się czujesz? – spytał z lekko ironicznym uśmiechem.

– Zmęczony jestem – bąknąłem.

– Lepiej się przyznaj, miałeś cykora, że cię zatrzymają?

– Może trochę, bałem się rewizji i tego, że znajdą drugi paszport.

– Ale wszystko jest okej?

Potwierdziłem ruchem głowy.

– To dawaj ten drugi, muszę zwrócić właścicielce.

– A nie będzie problemów, że nie został ostemplowany?

– Jakby co, nie dogadają się z niemową. – Feliks roześmiał się.

W samochodzie spytałem go, czy zapłacił coś za tę przysługę swojemu koleżce.

– Ani grosza, to po starej znajomości.

Potem opowiadałem o pobycie na wakacjach i dalszej podróży Ani. Zdziwił się, skąd wziął się Egipt.

– Nie ma bezpośrednich lotów z Bułgarii do Kenii, konieczna byłaby przesiadka w Amsterdamie – tłumaczyłem – więc sam rozumiesz. A z Kairu odbierze ich żona Ola, przyleci po nich awionetką.

Feliks przeciągle zagwizdał.

– No proszę, jaki *high life*! A Olek przedstawił ci plan na dalsze życie Ani?

– To jej życie i ona będzie o nim decydowała, a nie Olo – odpowiedziałem.

Żachnął się na to.

– Ona już zawsze będzie zbiegiem, a przynajmniej przez najbliższe lata, więc wszystkie jej poczynania należy nadzorować, to chyba oczywiste. Poza tym nie wygląda na drugą Ulrike Meinhof, kutą na cztery nogi. My ją wyciągnęliśmy z więzienia i jesteśmy za nią odpowiedzialni.

Nie wiedziałem, jak mu powiedzieć, aby nie poczuł się dotknięty, że jego rola w tej sprawie już się zakończyła. Teraz pałeczkę przejął Olo.

– Ania już wie, że jestem jej ojcem – zmieniłem temat.

– I jak zareagowała?

– Na początku dość burzliwie, ale przy pożegnaniu zawarliśmy akt pokoju i jestem z tego powodu bardzo szczęśliwy. Dlaczego mi nie powiedziałeś, że jest do mnie podobna?

Feliks wzruszył ramionami.

– Dla mnie ma rysy matki.

– A Olek uważa, że to skóra ściągnięta ze mnie.

– Olek zawsze życzenia brał za rzeczywistość.

– Zazdrość przez ciebie przemawia – odrzekłem ostro – że przestałeś być potrzebny.

– Mam co robić – odrzekł wyraźnie urażony. Wcale nie byłem tego taki pewien, ale już nie przedłużałem rozmowy.

Wieczorem zatelefonowałem do Zosi.

– Jak ci się udał urlop? – spytała.

– No wiesz, morze, słońce, piasek – zacytowałem Ola. – Moi znajomi jeszcze tam zostali, wracają do domu za kilka dni.

– Mam nadzieję, że się odezwą.

– Na pewno, przynajmniej obiecali.

– Wyobraź sobie, że na początku września będę występowała gościnnie w operze poznańskiej.

– Z *Toscą*?

– Tym razem to cięższy kaliber: Wagner!

– Szkoda, że nie w Warszawie, ale przyjadę się z tobą zobaczyć.

– Koniecznie! I zabierz ze sobą Feliksa, jest większym miłośnikiem opery od ciebie.

Mniej więcej po tygodniu w środku nocy obudził mnie dzwonek telefonu, najpierw usłyszałem trzaski, a potem z bardzo daleka głos Ola:

– Witaj, przyjacielu, co tam u ciebie?

– To co zawsze, praca, dom, praca, dom i narzekania Feliksa, na starość stał się strasznym malkontentem.

– Taki był zawsze – roześmiał się Olo. – A my tutaj mamy urwanie głowy, bo przybyli nam nowi lokatorzy, trzy osierocone słoniątka, w tym jedna dziewczynka. I ona najlepiej się aklimatyzuje.

– Miło mi to słyszeć – odrzekłem.

Rano poszedłem spotkać się z Feliksem.

– Udało im się. Ania jest już bezpieczna – zakomunikowałem.

Na operę Wagnera wybraliśmy się pociągiem, mimo że Feliks upierał się przy podróży samochodem.

– O nie! – zaprotestowałem. – Każesz mi znowu spać w aucie, a noce są już bardzo zimne, jest koniec września.

– W Pradze tylko ja spałem w aucie – sprostował, ale zgodził się, aby wynająć pokój dwuosobowy, tak było taniej.

Rozmach inscenizacji zrobił na mnie ogromne wrażenie, monumentalna muzyka Wagnera przetaczała się przez moje ciało niczym grzmot burzy, a Zosia, trzeba to powiedzieć, genialnie wykonała partie Brunhildy. Kiedy oglądałem potem film Coppoli *Czas Apokalipsy*, rozpoznałem *Cwał Walkirii* jako podkład muzyczny. Od pamiętnego spektaklu stałem się wielbicielem muzyki Wagnera. Zosia podarowała mi płytę i często jej słuchałem, żałując, że mam dosyć marny sprzęt.

Po przedstawieniu poszliśmy we troje na kolację do restauracji nieopodal opery. Zosia wyglądała na zmęczoną, czemu trudno się było dziwić. Kiedy Feliks zaproponował kieliszeczek dla kurażu, odmówiła.

– Po tym twoim kieliszeczku spadnę pod stół – powiedziała.

Trzeba przyznać, że restauracyjna kuchnia stanęła na wysokości zadania, dawno nie jadłem takiego śledzia w śmietanie, namówiłem Zosię, aby też spróbowała. Przyznała mi rację. Przed przyjazdem tutaj była kilka dni we Włoszech i udało jej się stamtąd dodzwonić do Ola. Z tego co mówił, nasza córka dość szybko się tam zaaklimatyzowała, nie było z nią większych kłopotów.

– No tak – wtrącił Feliks – myśmy ją tu zresocjalizowali, Olek przyszedł na gotowe.

– A z Anią rozmawiałaś? – spytałem ostrożnie.

– Nie podeszła do telefonu.

– I co dalej?

– Dalej – powtórzyła Zosia – dalej... Europa jest dla niej niedostępna, Stany też, pozostaje Ameryka Południowa... Ale wcale nie jestem pewna, czy byłaby tam bezpieczna. Ten kontynent od lat penetruje Mosad, szukają zbrodniarzy wojennych i przy okazji mogą trafić na Anię. Wbrew wszelkim stereotypom oni są wytrwali i niezwykle skuteczni, wywiezienie Eichmanna z Argentyny było majstersztykiem!

– Porównujesz naszą córkę z hitlerowskim potworem! – uniosłem się.

– Usiłuję wam tylko uświadomić, pod jaki szyld mogą ją podstawić. To niezwykle zawzięci i okrutni ludzie, nie mają litości dla przeciwników.

– Przecież RAF zlikwidowała Schleyera, byłego esesmana, a potem postać ze świecznika – odrzekłem.

– Służył w jednostce Waffen SS – uzupełnił Feliks. – W odrodzonych Niemczech był przemysłowcem i przewodniczącym Niemieckiego Związku Pracodawców.

– Ci z Mosadu powinni więc być zadowoleni!

– Ale przecież Frakcja utrzymywała ścisły kontakt z Organizacją Wyzwolenia Palestyny – powiedziała Zosia. – W jakiejś strzelaninie w Jerozolimie jeden z jej członków zabił dwóch żydowskich chłopców i małe dziecko. Jak się domyślacie, ofiary nie były uzbrojone. Mosad takich rzeczy nie wybacza, bardzo możliwe, że za tymi rzekomymi samobójstwami w Stammheim stoją właśnie oni.

– Myślę – odezwał się Feliks – że twoje obawy są przesadzone. Ania nikogo nie zabiła, nie była żadną wojowniczką, tylko sympatyzowała z tym ruchem, i to dlatego, że jednym z członków był jej chłopak.

Zosia pokręciła głową.

– Była bardzo blisko Meinhof. Nie mówiłam wam, ale po śmierci Ulrike jedna z gazet zamieściła jej zdjęcie przypadkowo zrobione na ulicy, obok niej szła Ania!

– Wcale nie musi jechać do Ameryki Południowej – powiedziałem. – Olo też uważał, że z tym należałoby poczekać.

– A widzisz! Widocznie myśli to samo co ja – podchwyciła.

Na to Feliks:

– No to pozostaje Australia. Ten kraj zawsze sprzyjał zesłańcom, przecież wszyscy są tam ich potomkami.

– To nas pocieszyłeś – burknąłem.

Przyjaciel stwierdził, że się ulatnia, bo pewnie mamy jakieś swoje sprawy, ale kiedy zostaliśmy z Zosią sami, poczuliśmy się skrępowani. Ona odezwała się pierwsza:

– Czy nasza córka już wie, kim dla niej jesteś?

– Wie – odrzekłem. – Uważałem, że na to potrzeba czasu, ale Olek dość brutalnie wkroczył do akcji.

– Z jakim skutkiem?

– Nadspodziewanie dobrym. Kilka dni było naprawdę trudnych, ale nasze pożegnanie na lotnisku było pożegnaniem ojca z córką.

Zosia smutno się uśmiechnęła.

– Przynajmniej wie, że ma ojca, bo matkę niekoniecznie...

– Ułoży się między wami, zobaczysz – starałem się ją pocieszyć.

– Ale na to chyba naprawdę potrzeba czasu.

Pora była dość późna i widziałem, że Zosia ledwo siedzi na krześle, zaproponowałem więc, abyśmy zakończyli ten wieczór.

– Macie hotel tym razem? – spytała, bo zdążyłem jej opowiedzieć, jak to wyglądało w Pradze.

– Tak, co prawda wspólny pokój, a Feliks potężnie chrapie, ale po Wagnerze jeszcze mi dudni w głowie, więc chyba jakoś przetrwam.

Zawahała się.

– Gdybyś chciał...

– Nie, nie. Nie dlatego to powiedziałem. Należy ci się odpoczynek po takim wysiłku. A przed nami jeszcze całe życie...

Pokręciła przecząco głową.

– Miłość była rano...

Odprowadziłem ją i ruszyłem przed siebie. Długo krążyłem ulicami, chcąc zebrać myśli, tyle przecież spraw poruszyliśmy w czasie tego spotkania. Co dalej z Anią? Jak sobie poradzi? I jak się dalej ułożą nasze stosunki z Zosią – kim dla siebie jesteśmy i kim dla siebie będziemy. To ciągle były pytania bez odpowiedzi. Powiedziała „miłość była rano”, więc chyba sądziła, że dla nas jest już za późno. A może oczekiwała, że zaprotestuję, ale ja milczałem, bo samo wspominanie młodości to przecież za mało. Wtedy silnym spoiwem dla naszego związku był seks, teraz nie ma się co oszukiwać... Zosia dała mi do zrozumienia, że ta strona życia nie jest dla niej ważna. A dla mnie? No... w końcu byłem mężczyzną i głowa sama mi się odwracała, gdy mijałem ładną kobietę. Ale to się zmieniło od czasu, gdy dowiedziałem się, że mam córkę, teraz to ona znalazła się w centrum mojego zainteresowania.

Przy pożegnaniu Zosia zaproponowała, abyśmy przyjechali z Feliksem do Berlina na święta Bożego Narodzenia. Odpowiedziałem, że jeszcze za wcześnie na takie plany, mimo to przysłała nam zaproszenia. Co było robić, załatwiliśmy sobie wizy i w przeddzień Wigilii wsiedliśmy do pociągu Warszawa–Berlin Wschodni. Pociąg dotarł do stacji Fredrichstrasse, gdzie pod budynkiem dworca znajdowały się podziemne perony S-Bahn, był to przystanek przesiadkowy między eksterytorialnymi zachodnioberlińskimi liniami, zanim jednak wsiedliśmy do wagonu, musieliśmy przejść kontrolę graniczną.

– U drzwi twoich stoję, Panie – zażartował Feliks.

Odechciało nam się jednak żartów, kiedy mijając peron za peronem, kolejka się nie zatrzymywała i widzieliśmy uzbrojonych po zęby strażników. Stali rozkraczeni, z bronią gotową do strzału, na wypadek gdyby komuś przyszło do głowy wyskoczyć w biegu.

– Kiedyś nasi potomni dowiedzą się, że w drugiej połowie dwudziestego wieku istniały dwa mury: chiński i berliński. Jeden jako dzieło sztuki, a drugi hańby...

– Raczej jako pomnik totalitaryzmu, a z tym ludzkość nie upora się nigdy. Zawsze będą dyktatorzy i zniewoleni.

– Świetna wizja przyszłości!

– Realistyczna!

Willa, w której mieszkała Zosia, była położona w ogrodzie za wysokim murem, wewnątrz urządzona z wielkim smakiem, antyczne meble, na ścianach obrazy, na wprost wejścia Picasso, i to raczej nie była kopia. Gosposia, ta Fredzia, dość dziwną polszczyzną ze śląskim akcentem wyjaśniła, że pani jeszcze jest w pracy, ale niedługo powinna wrócić, po czym zaprowadziła nas na piętro i pokazała nasze pokoje. Mnie chyba przypadł dawny pokój Ani, bo nad biurkiem wisiały oprawione w ramki dziecięce rysunki, z pewnością to ona je malowała. Zosia to potem zresztą potwierdziła. Spotkaliśmy się z nią na dole w jadalni; nad stołem, który mógłby pomieścić wiele osób, wisiał kryształowy żyrandol, inne meble były ciężkie, rzeźbione, co sprawiało, że jakoś nie czułem się tu dobrze. Jeśli matka i córka jadały w tym otoczeniu, z pewnością nie sprzyjało to ociepleniu ich stosunków.

Za to Feliks był w swoim żywiole, jak na dżentelmena przystało, nalewał do kryształowych kieliszków wino i mimo że za nim nie przepadał, nie domagał się mocniejszego trunku, uważając pewnie, że byłoby to nie na miejscu. Potem przeszliśmy na kawę do saloniku obok, gdzie było bez porównania przyjemniej, a Zosia sama zaproponowała mojemu przyjacielowi „kieliszeczek dla kurażu".

– Nie odmówię – odrzekł.

W Wigilię zadzwonił Olo.

– Miło, że jesteście wszyscy razem – powiedział. – Szkoda, że nie mogę do was dołączyć.

– Jesteś obecny duchem – odparłem.

– To na pewno. Wybieracie się na pasterkę?

– Delegujemy Fredzię, gosposię Zośki. A jak tam wasza menażeria, jak wasze słoniątka, nie sprawiają kłopotów?

– Ani trochę, już się na dobre zaaklimatyzowały, więc dajemy im więcej swobody, być może niedługo wypuścimy je nawet na wolność.

Zastanawialiśmy się, co Olo chciał nam przekazać, o jakiej wolności mówił. Może oznaczało to, że Ania mogła się już sama poruszać poza posiadłością, bo jej transfer na inny kontynent chyba nie wchodził w grę. Zosia obiecała, że jak będzie w podróży, postara się zadzwonić do Ola i dowiedzieć czegoś więcej. No a potem zebrało się nam na wspominki. W pewnej chwili zaczęliśmy wyliczać z Zosią, kto był na naszym ślubie i kogo już nie ma wśród żywych. Bilans okazał się tragiczny, bo z jej druhen powstanie przeżyła tylko jedna, Basia Różycka, ale aresztowano ją na początku czterdziestego szóstego roku i nie wyszła już z Rakowieckiej. Rodzinie powiedziano, że zmarła na zapalenie płuc, ale trumny nie pozwolono otworzyć.

– Najgorsze jest to – wtrącił Feliks – że im wcale nie o nią chodziło, ale o jej męża, który był dowódcą tego oddziału NSZ, do którego ja dołączyłem. Jak nasz oddział został rozbity, Żbik ukrywał się i oni pewnie chcieli, aby żona doprowadziła ich do niego.

– Nic o tym nie wiedziałam – rzekła Zosia. – Nie złamali jej?

– Widać nie. Ale tak naprawdę to wątpię, by wiedziała, gdzie on przebywał – odparł.

Na to ja się włączyłem:

– Parę lat temu spotkałem na Powązkach jej matkę, porządkowałem przed Świętem Zmarłych grób rodziców Olka i ona mnie rozpoznała. UB wypuściło Basię na wabia, oczywiście dom był cały czas pod obserwacją, potem ją z powrotem zamknęli.

– Można było próbować ją wtedy odbić! – powiedziała Zosia z wyrzutem.

– Kto miałby to zrobić, dziewczyno! – żachnął się Feliks. – To byłoby samobójstwo!

– Straszne – westchnęła. – Biedna Basieńka, była taka delikatna... i taka dzielna, raz skakałyśmy razem przez Aleje... Seria z dachu poszła bokiem, po asfalcie, rykoszetem trafiło ją w łydkę, zrobił się z tego rozległy siniak. Śmiałyśmy się potem, że to czuły pocałunek śmierci...

Zamilkliśmy. Słychać było tylko trzask polan, bo Zosia rozpaliła w kominku.

– Nieciekawe czasy przypadły na naszą młodość – odezwał się Feliks.

– A ja wspominam je bardzo dobrze! – stwierdziła moja żona.

– Szczególnie kiedy w kanałach taplałaś się po kolana w gównie! – odrzekłem ostro.

– Dla ojczyzny, dla nas!

– Tak!? To dlaczego teraz mieszkasz w Berlinie i nosisz niemieckie nazwisko?! – odrzekłem ostro.

– Bo tak mi się ułożyło życie, ale to nie ja zniszczyłam Warszawę i nie ja zaprosiłam potem azjatyckich najeźdźców!

Feliks roześmiał się:

– Rzecz w tym, że oni zaprosili się sami.

– Więc dla mnie już nie było tam miejsca!

Nie mogłem znieść takiego gadania, wyszedłem na taras i zapaliłem papierosa. Przez uchylone drzwi słyszałem ich rozmowę.

– Jurek opowiadał mi o twojej żonie, że była wspaniałą osobą i zginęła w ostatnim dniu powstania. Nie związałeś się już z nikim, jesteś sam...

– Nie jestem sam, ona jest ze mną!

W pierwszy dzień świąt nie wystawiliśmy nosa na dwór, Fredzia donosiła nam tylko na stół różne wspaniałości. Trzeba przyznać, że kucharką była znakomitą. Takiej strucli z makiem, jaką upiekła, nie jadłem od czasów dzieciństwa. Nazajutrz wybieraliśmy się do teatru, Zosia załatwiła bilety na sztukę amerykańskiego dramaturga *Tramwaj zwany pożądaniem*.

Po świątecznym obiedzie Feliks powiedział, że czuje się przejedzony, w związku z czym udał się do swojego pokoju na małą sjestę. Oglądaliśmy z Zosią telewizję, kiedy Fredzia zaalarmowała nas, że „w pokoju tego pana coś upadło". Podszedłem do schodów, ale na górze było cicho.

– Coś jest nie tak – upierała się, więc zapukałem do niego, a potem otworzyłem drzwi. Feliks leżał na podłodze, był nieprzytomny. Zosia wezwała pogotowie, które przyjechało dosłownie po trzech minutach. Lekarz stwierdził zawał.

Jechaliśmy samochodem za karetką, a potem czekaliśmy pod drzwiami sali, gdzie Feliksa reanimowano. Działy się ze mną dziwne rzeczy, zupełnie jakbym rozpadał się w środku. Wyszedłem na papierosa, ale ręce trzęsły mi się tak, że nie byłem w stanie go zapalić. Po chwili przyszła Zosia.

– Uspokój się – powiedziała. – On jest pod dobrą opieką!

– Jeśli umrze...

– Nie umrze! – rzekła zdecydowanym głosem i to podziałało.

Wróciliśmy do środka.

– Przez te wszystkie lata był moją jedyną rodziną – próbowałem się tłumaczyć.

– Wiem i rozumiem twój niepokój, ale będzie dobrze. Natychmiast otrzymał pomoc, to bardzo ważne.

– Dzięki Fredzi!

– Kiedy wyjdzie, kupcie jej kwiaty.

– Na pewno!

Wreszcie pojawił się lekarz, dowiedzieliśmy się, że u mojego przyjaciela doszło do pęknięcia blaszki miażdżycowej. Na szczęście sytuacja została opanowana, chory odzyskał przytomność. Spytałem, czy mogę go zobaczyć.

– Dosłownie na chwilę – usłyszałem.

Feliks leżał obstawiony różnymi aparatami, do których go podłączono, co wyglądało dość przerażająco. Jego twarz na poduszce wydała mi się papierowa, oczy głęboko wpadły, przez co jeszcze bardziej uwydatnił się nos. Sabinka, wtedy studentka filologii klasycznej, stwierdziła, że „jej narzeczony byłby nawet przystojny, gdyby jego nos był odrobinę krótszy". Ta scena stanęła mi przed oczami, był maj tysiąc dziewięćset trzydziestego dziewiątego roku, kwitły kasztany, siedzieliśmy w Łazienkach na ławce i jedliśmy lody. Byliśmy tacy młodzi, beztroscy, zarykiwaliśmy się z byle czego...

Pochyliłem się nad nim.

– Poznajesz mnie? To ja, Jurek – zacząłem.

– Ciebie poznałbym nawet w piekle – odrzekł słabym głosem.

– Jak się czujesz, boli cię coś?

Jakby nie słyszał mojego pytania.

– Obiecaj, że gdybym... to pochowasz mnie obok niej...

– Wyzdrowiejesz – odparłem, czując, jak wilgotnieją mi oczy.

Byłem zły na siebie. Pomyślałem, że to moje mazgajstwo to chyba pierwszy objaw starości. Zauważywszy, że rozmowa go męczy, wycofałem się na palcach. Na korytarzu Zosia powiedziała mi, że według lekarzy ze zdrowiem Feliksa nie jest najlepiej. Nosi w piersi zepsuty zegarek i jedynym ratunkiem dla niego jest operacja.

– Mogę ją sfinansować – stwierdziła. – Tutaj albo w Szwajcarii, w najlepszej klinice.

– On na to nie pójdzie.

– Dlaczego?

– Nigdy się nie zgodzi, aby kobieta za niego płaciła.

Tak się właśnie stało, Feliks miał nawet duży problem z tym, że Zosia uregulowała należność za jego szpital, chciał sprzedawać samochód, ale to, co by mógł dostać za swojego grata, nie pokryłoby nawet jednego procenta tej sumy. Więc złożyliśmy się na ten dług z Olem.

Olo wiedział, bo rozmawialiśmy telefonicznie, że Feliks jest w szpitalu, i w przeddzień sylwestra nieoczekiwanie pojawił się w Berlinie. Kiedy usłyszałem jego głos w holu na dole, nie mogłem uwierzyć, że to się dzieje naprawdę. Nazajutrz poszliśmy odwiedzić chorego przyjaciela.

– Co to, nowe powstanie warszawskie wybuchło, że wróciłeś do Europy? – spytał Feliks tym swoim słabym głosem.

– Nie zrób nam kawału i nie odwal kity, stary lisie – odrzekł Olo żartobliwym tonem, ale widziałem, że jest przejęty. Pielęgniarka zaraz nas zresztą wyrzuciła.

Wieczorem przy kolacji Zosia powiedziała:

– Trochę wam zazdroszczę tej niezwykłej przyjaźni, w dzisiejszym świecie chyba rzadko się coś takiego zdarza, a może nawet wcale.

– Ma to swoje dobre, ale i złe strony – odrzekł Olo. – Musimy znosić tego starego pierdołę, który nie dba o swoje zdrowie i jest nudny jak flaki z olejem...

– Przypominam, że ten nudziarz uratował ci życie i sam o mało nie zginął – stanąłem w obronie Feliksa.

– Co się takiego stało? – zainteresowała się Zosia.

– We dwóch szli na akcję, a temu tu panu zachciało się nosić oficerki, co było znakiem rozpoznawczym dla Niemców, że jest z podziemia, więc z miejsca chcieli ich wylegitymować...

– To było na Brackiej, róg Alej – uzupełnił Olo.

– I wtedy Feliks rzucił granat...

– No, zrobiło się gorąco – przytaknął.

– Zapomniałeś tylko dodać, że ty wyszedłeś z tego cało, a Feliks dostał w brzuch – wtrąciłem.

– Ale się wylizał i mam nadzieję, że tak będzie i tym razem – rzekł już całkiem serio.

W sylwestra, po wizycie u Feliksa, wstąpiliśmy na wódkę do barku niedaleko szpitala, fresk nad bufetem przedstawiał Bramę Brandenburską i Olo długo przyglądał się rozpędzonym rumakom na jej szczycie.

– Stratowałyście nam ojczyznę. I po co to było?

– Uważasz, że wszystko jest po coś?

– Tak uważam.

Chciałem go zapytać, po co w takim razie było powstanie w czterdziestym czwartym, ale nie zapytałem, bo dokładnie znałem odpowiedź. Wolałem porozmawiać o Ani.

– Wyobraź sobie, całymi dniami siedzi w bibliotece na górze, wertuje książki historyczne dotyczące Polski i dasz wiarę, już czyta w naszym języku! – Olo zawiesił głos, sprawdzając, jakie to na mnie zrobiło wrażenie. – Twoja córka to fenomen językowy, jak każdy neofita, nadzwyczajnie się stara. Ze mną rozmawia już tylko po polsku, a zaczęło się od tego, że pokazałem jej album ze zdjęciami zniszczonej Warszawy. Była w szoku, zamknęła się w swoim pokoju i Jane mocno się natrudziła, aby ją stamtąd wyciągnąć. Panie się na szczęście z miejsca zaprzyjaźniły, a moja żona nie jest zbyt wylewna...

– Nie wiem, czy jestem zadowolony z takiego obrotu sprawy – odpowiedziałem na to.

Olo uniósł brwi.

– To znaczy?

– Po co jej obciążasz głowę przeszłością, ona musi teraz myśleć do przodu.

– Mylisz się, i to bardzo. Jak z tym ukrywaniem ojcostwa. Pewnie do tej pory nic byś jej nie powiedział.

– No, raczej nie miałbym okazji...

– Właśnie, a od tego trzeba było zacząć. Mam dla ciebie list od niej, nic nie mówiłem przy Zosi, bo... niestety o matce na razie nie chce słyszeć.

> Dear Tatku,
> tak będę się do Ciebie zwracała, wujek Olo powiedział, że mogłoby być ojcze, tatusiu lub tatku, a ja wolę to ostatnie. Piszę po angielsku, ale Ty możesz pisać do mnie po polsku, ja już wszystko rozumiem, to znaczy prawie wszystko.
>
> Całą drogę powrotną z lotniska do Słonecznego Brzegu płakałam, nawet nie bardzo wiedząc czemu. Było mi tak smutno, że odjechałeś, a ja nie zdążyłam Ci powiedzieć, jakie to dla mnie ważne, że się odnaleźliśmy. Wujek się na mnie nawet zezłościł, że tak się mażę,

i powiedział, że to między innymi powód, dla którego nie ma dzieci. „Cały czas strugałaś biednemu ojcu kołki na głowie, a teraz taki lament!" Ale on nigdy nie był w mojej sytuacji, nie wiedział, czym jest prawdziwa samotność. Po śmierci Ulrike właśnie tak się czułam. Chcę Ci o niej napisać, bo przedstawiają ją jak potwora bez żadnych uczuć, a tak wcale nie było. Wiem, że w głębi serca była dobrym człowiekiem, ale droga idei, jaką wybrała, bardzo ją zmieniła, zrobiła się twarda, nie szła na żadne kompromisy, uważając, że jeśli wróg ma tak znaczną przewagę, należy go zwalczać wszystkimi dostępnymi metodami. Kiedyś pojechałyśmy do Trewiru, uroczego miasteczka na południu Niemiec, ona miała tam z kimś spotkanie i potem zabrała mnie na spacer do dzielnicy willowej. Stałyśmy tam dość długo, obserwując wjeżdżające na teren posiadłości luksusowe limuzyny, z których wysiadali starsi, nobliwi panowie.

– Ci ludzie – powiedziała Ulrike – to byli esesmani wysokich stopni...

Od razu chciałam stamtąd odejść, zrobiło mi się niedobrze. Ona uważała, że należy pomagać tym, którzy są słabsi i walczą o wolność swoich współbraci. Jak Palestyńczycy. Kiedy Żydzi tworzyli swoje państwo, cały świat im pomagał, a teraz sami stali się okupantami.

Nasi przyjaciele walczą i giną za swoją ziemię. Tak jak wy walczyliście, była was garstka, a jednak nie zawahaliście się poświęcić życia dla obrony swojego miasta. Właśnie Ty powinieneś zrozumieć moich przyjaciół. Bardzo by mi na tym zależało.

Jane i wujek Olo mają prywatne kino w domu i puścili mi film *Kanał*, ten o przeprawie powstańców ze Starego Miasta do Śródmieścia. Wiem, że ty i mama też przeszliście taką drogę. I to jest piękne, tatku! I czuję się z was dumna. Chociaż mama zmieniła się, zapomniała o ideałach młodości, stała się częścią tego społeczeństwa, którym Ulrike i ja pogardzałyśmy. Gdybym wiedziała wcześniej, że żyjesz, istniejesz, nawet boso uciekłabym do Ciebie. Teraz zawsze przed snem powtarzam sobie: Jestem Polką i nazywam się Ania Ziarnicka, i czuję się z tego powodu dumna i szczęśliwa. Żałuję tylko, że kiedy byłam w Warszawie, tego nie wiedziałam, nie miałam pojęcia, że to jest miasto relikwia i gdzieś tam leżą kości moich dziadków, a ja być może po nich stąpam. I żałuję też bardzo, że Ulrike już nigdy się nie dowie, kim naprawdę jestem. Myślę, że by się z tego ucieszyła, była bardzo złego zdania o otoczeniu matki i Manfreda, uważała ich za burżujów. Ale to są sprawy na długie rozmowy. Chcę Ci jeszcze napisać o spotkaniu z Jane. Pierwszy raz zobaczyłam ją w Kairze, szła w naszą stronę w kombinezonie lotniczym i pilotce, spod której wystawały siwe włosy. Twarz miała całą w zmarszczkach, więc pomyślałam, że to nie może być żona Ola, bo to przecież staruszka. Ale ona ma młodzieńcze usposobienie i śmieje się jak młoda dziewczyna, jakoś tak radośnie i zaraźliwie. Rozumiem Ola, że się w niej zakochał. Ja też ją uwielbiam, wujek powiedział, że kiedy Jane się uśmiecha, rozwijają się kwiaty. I to szczera prawda! Przebywanie z nią sprawia, że człowiek staje się lepszy. Pierwszy mąż Jane był profesorem medycyny i nazywał się Roger Bogart (żadne pokrewieństwo z tym słynnym aktorem), przez wiele lat był szefem znanej kliniki w Nairobi i wykładał na tamtejszym uniwersytecie. Po jego śmierci Jane założyła fundację, która finansuje schronisko dla dzikich zwierząt i jak wiesz, prowadzi je teraz z Olem. Jej dorosły syn mieszka w Stanach, też jest naukowcem, ale jeszcze się nie dowiedziałam, w jakiej dziedzinie się specjalizuje. Wiem tylko, że ma na imię Adam.

Ja dużo siedzę w bibliotece, pomagam trochę przy zwierzętach, ale sytuacja wygląda tak, że każde słoniątko, które tu przybywa – ich jest najwięcej – dostaje opiekuna. Zawsze mężczyznę, oczywiście tubylca. Jane zrezygnowała z zatrudniania kobiet, by opiekunowie mogli skoncentrować się na swoich podopiecznych i przestali wodzić oczami za płcią przeciwną. Oni bardzo się zresztą starają, jak słoniątko sierota idzie na spacer, opiekun trzyma nad nim parasol, aby nie przypaliło sobie na słońcu uszu i koniuszka trąby, bo to bardzo wrażliwe miejsca. Natura tak to rozwiązała, że na wolności małe skrywają się w cieniu mamy. Gdy zostają sierotami, ich zastępcza mama nosi spodnie. Pojawiają się tu też inne zwierzęta, ale jakoś boję się podchodzić, ostatnio był poraniony krokodyl, więc sobie wyobraź!

Nie wiem jeszcze, co ze mną dalej. Moje życie uwięzło jak balonik na drzewie, w którą stronę wiatr go zwieje, nie wiadomo.

Rozpisałam się, Tatku, mój list przywiezie Ci Olo, więc nie dostanie się w łapy cenzury. Wiem, że te posyłane pocztą będę musiała pisać tak, aby nie można mnie było zidentyfikować. Ale spodziewaj się ode mnie listów, bo to na razie będzie jedyny nasz kontakt.

Mocno Cię, Tatku, całuję.

Twoja kochająca córka

Ania

List wzruszył mnie i przeraził jednocześnie. Uświadomił mi bowiem, jaki chaos panuje w głowie mojej córki. Miałem pretensje do przyjaciela, że dołożył jej jeszcze problemów z nową tożsamością.

Pokazywanie filmu Wajdy komuś tak niestabilnemu wewnętrznie jak Ania było poważnym błędem. Heroizm naszej walki zaczęła porównywać z terroryzmem, który jest niczym innym, jak rozwalaniem ludzi. Od karania w demokratycznych państwach są sądy. A ona w takim państwie spędziła większość swojego młodego życia. Postanowiłem przeprowadzić z Olem poważną rozmowę, ale najpierw pokazałem mu jej list.

– Powinieneś się cieszyć, że stałeś się dla niej kimś ważnym, nie zmarnuj tego.

– Tylko tyle wyczytałeś? – spytałem naprawdę zbulwersowany.

– No... miło mi, że tak ciepło pisze o mnie i o Jane.

– Rozmawiaj ze mną poważnie!

– Właśnie to robię – odrzekł chyba naprawdę zdziwiony.

– Nie przeszkadza ci, że jej idolką stała się terrorystka numer jeden w Europie?

– Nie żyje, niech jej ziemia lekką będzie, poza tym my nic o niej nie wiemy. Anka znała ją lepiej.

– Ja też ją poznałem, uważnie przeczytałem jej wypowiedzi, jej tezy sprowadzają się do jednego: na widok jakiegokolwiek munduru strzelaj! To przecież zamach na demokratyczne struktury państwa!

– To była dziecinada. – Machnął lekceważąco ręką.

– Ale moja córka w tym tkwi!

– Wyleczy się z tego – odparł. – Tylko niech ci nie przyjdzie do głowy z nią polemizować, i to korespondencyjnie, bo ją znowu stracisz.

Spojrzałem na niego zaskoczony.

– Przecież ja nie mogę tak tego zostawić. O czym mam jej pisać? O tych waszych sierotkach?

– A dlaczego nie? – odpowiedział pytaniem.

Dotarło do mnie, że nie znajdę w nim sojusznika. Widocznie życie na emigracji go zmieniło, stał się przesadnie tolerancyjny. Pomyślałem, że będę musiał omówić ten problem z Feliksem, kiedy wyzdrowieje.

Nowy rok przywitaliśmy we troje w willi Zosi, niebo co i raz rozjaśniały różnokolorowe race. W pewnym momencie podszedłem do okna, po chwili obok mnie stanął Olo.

– Przyszło ci na myśl, kiedy schodziliśmy do kanału, że będziemy jeszcze tak długo żyli? – spytał.

Pokręciłem przecząco głową.

– Feliks jest wiecznym wdowcem, ale dlaczego ty, przy tylu żonach, nie masz dzieci?

– Nie chciałem, żeby zostały Amerykanami...

Nazajutrz rozjechaliśmy się, ja wróciłem do Warszawy, Olo do swojej afrykańskiej posiadłości. Tylko Feliks pozostał jeszcze w szpitalu, a po powrocie do Polski od razu pojechał do sanatorium w Nałęczowie. Odwiedziłem go tam którejś niedzieli. Wyglądało, że jest w całkiem niezłej formie.

– Strachy na Lachy. Fryce już by mnie pokroiły, a ja czuję się jak nowy.

– Do czasu – odrzekłem.

– Każdy kiedyś umrze, to normalna kolej rzeczy.

Rozmawialiśmy też o Ani, o tym, że Olo popełnia w stosunku do niej wszystkie możliwe błędy wychowawcze.

– Nie zapominaj, że ona jest dorosła – powiedział Feliks – więc trudno brać się teraz do jej edukacji. Do pewnych wniosków powinna dochodzić sama.

– Sama nigdy nie nabierze dystansu do swojej przeszłości. Postawiła ołtarzyk dla tej Meinhof i żarliwie się do niej modli.

– Przykro mi to mówić, ale ta kobieta okazała Ani więcej zainteresowania niż własna matka i tutaj jest pies pogrzebany. To nie chodzi o politykę, przyjacielu, tylko o uczucia, a wobec uczuć jesteśmy bezradni. Możemy tylko liczyć, że czas to przykryje, pojawi się jakiś dobiegacz i to on zajmie w sercu Ani miejsce tej Ulrike.

– Chyba jednak lekceważysz problem. Jeśli moja córka stawia znak równości między naszym zrywem powstańczym a akcjami terrorystycznymi, to ja się na to nie mogę zgodzić. Zresztą pokazywałem ci jej list, sam możesz ocenić.

– To list bardzo młodej, egzaltowanej osoby, która szuka swojego miejsca w życiu. Pozwól jej na to. Jej zaangażowanie w terroryzm to naprawdę sprawa incydentalna, jest od tego skutecznie odcięta. A poza tym wyłapali niemal wszystkich zamachowców, ten ruch dogorywa.

– Oby.

Rozmowa z Feliksem trochę mnie uspokoiła i odpisałem Ani w o wiele łagodniejszym tonie, niż początkowo zamierzałem. Jej drugi list częściowo potwierdzał słowa mojego przyjaciela.

> Dear Tatku,
> cieszę się, że wujek Feliks wyzdrowiał, chociaż Olo twierdzi, że z tej choroby nie można wyzdrowieć i jeśli nie podda się operacji, to będzie z nim kiepsko. Nie wiem, czy Ty też jesteś tego zdania. Jeśli tak, spróbuj namówić wujka na pójście do szpitala, jesteś blisko niego, będzie Ci łatwiej.
>
> Wyobraź sobie, że Jane zaufała mi i powierzyła mojej opiece małego słonia. Kłusownicy zamordowali mu mamę, wycinając tylko kły, pewnie wiesz, jak cenna jest kość słoniowa. Kiedy nas zawiadomiono o tej sprawie, pojechaliśmy dżipem we troje. Zobaczyliśmy, że małe wdrapało się na matkę, która martwa leżała na boku, i stało tak pod palącym słońcem. Jane powiedziała, że zjawiliśmy się w ostatniej chwili,

bo umarłoby z pragnienia. Olo zdjął je i postawił na ziemi, a ja próbowałam je napoić z butelki. Ciężko to szło, więc skropiliśmy małego wodą i rozpostarliśmy nad nim parasol. Czekaliśmy na transport. To maleństwo nie przetrwałoby podróży samochodem, więc kiedy samolot przyleciał, załadowaliśmy słoniowe dziecko i ja z nim leciałam. Olo i Jane wracali dżipem. Widocznie zapamiętało mój zapach, który mu się skojarzył z mamą, i wybrało mnie na mamę zastępczą. Chodzi za mną jak piesek, a kiedy tylko zniknę mu z oczu, wpada w rozpacz. To bardzo wzruszające, ale i zobowiązujące. Zwykle jest tak, że opiekunowie często się zmieniają, żeby nie dochodziło do takich właśnie sytuacji, bo w planach Jane jest wypuszczanie odchowanych już i zdolnych do samodzielności osobników na wolność. Ale w tym wypadku nie będzie to możliwe, kiedy tylko znikam, mój adoptowany synek zaczyna głodówkę. Więc się nie rozstajemy, w nocy śpię w boksie obok niego. Może to nawet będzie mój sposób na życie. Chyba wolę zwierzęta od ludzi...

Muszę Ci też opisać pewną sytuację, jaka wyniknęła zaraz po moim przyjeździe tutaj. Chcę, abyś w pełni docenił, jak cudowną osobą jest Jane. No więc jeszcze tam w Bułgarii zadurzyłam się w Olu. Ani on, ani ty oczywiście tego nie zauważyliście, bo traktowaliście mnie jak dziecko, a ja już dzieckiem od dawna nie byłam. Miałam nadzieję, że gdy po Twoim wyjeździe zostaniemy sami, powiem mu o swoich uczuciach. Ale to nie było wcale proste, bo on nie reagował na żaden z wysyłanych przeze mnie w jego stronę sygnałów. Kiedy na plaży zdjęłam biustonosz, natychmiast kazał mi go włożyć z powrotem i powiedział, że zaraz dostaniemy mandat, bo to nie jest plaża dla nudystów. Ostatniego dnia przed wyjazdem postanowiłam zagrać va banque i gdy rano Olo do mnie zapukał – zwykle razem schodziliśmy na śniadanie – otworzyłam mu drzwi tylko w krótkiej koszulce. I wiesz co on powiedział? Powiedział: „Co ty jeszcze jesteś nieubrana, czekam na dole". I wyszedł. Nie wiem, czy był naprawdę taki niedomyślny, czy tylko udawał. Zeszłam na to śniadanie, połykając łzy. Potem już w samolocie mieliśmy miejsca obok siebie. Oparłam głowę o jego ramię, udając, że śpię, i to był moment prawdziwego szczęścia. Myślałam wtedy, że mamy przecież dużo czasu i uda mi się go zdobyć. Jakoś nie brałam pod uwagę, że on ma żonę, zupełnie o niej nie myślałam, a kiedy ją zobaczyłam w Kairze, ogarnęło mnie zdumienie. Wyglądała nawet nie jak jego matka, ale babcia. W duchu ucieszyłam się z tego, uważając, że już jestem zwyciężczynią w tym pojedynku.

W ich posiadłości nasze sypialnie łączył wspólny taras, w nocy wychodziłam więc i patrzyłam na nich przez moskitierę. Spali razem, ale mieli ogromne, niemal kwadratowe łoże i zwykle jedno leżało po jednej, a drugie po przeciwnej stronie. Ich ciała się nie stykały, nie zauważyłam też, aby kiedykolwiek uprawiali seks, takie rzeczy się czuje. Może po prostu łączy ich przyjaźń – łudziłam się. On przecież jest mężczyzną w pełni sił i na pewno potrzebuje kobiety. Nie obraź się, ale mimo że jesteście równolatkami, Olo wygląda dużo młodziej, ktoś niezorientowany dałby mu najwyżej czterdzieści lat.

Często zaglądał do biblioteki, gdzie spędzałam długie godziny, było tam mroczno nawet za dnia, bo z powodu upałów spuszczano rolety. Siedziałam przy zapalonej lampce. To była dogodna sytuacja, abym mogła powiedzieć mu o swoich uczuciach, bo przecież sam nigdy by się tego nie domyślił. Przygotowywałam całą przemowę, dobierałam odpowiednie słowa, nawet o tym, że wasza przyjaźń nie może być przeszkodą, bo nie ma konfliktu interesów. Miłość ojcowska jest zupełnie czymś innym niż miłość do mężczyzny. Drugi raz w życiu byłam zakochana i bałam się, że tym razem bez wzajemności. Ale musiałam się tego dowiedzieć. Bardzo wtedy cierpiałam, każde spotkanie z nim mnie raniło, że rozmawia ze mną tak obojętnie, że mnie nie dotyka, nie całuje.

Któregoś dnia Jane zaproponowała, abyśmy poszły na spacer. „Wydaje mi się, że jesteśmy zakochane w tym samym mężczyźnie", powiedziała w pewnej chwili. Zmroziło mnie, nie wiedziałam, co odpowiedzieć. „Nie dziwię ci się, Olo jest wspaniały, godny miłości. Walcz o niego", usłyszałam.

Byłam zaskoczona. Sądziłam, że mnie podpuszcza, ale kiedy na nią spojrzałam, zobaczyłam jej pełne przyjaźni oczy. To nie mogło być udawane.

Zaczęłam się głupio tłumaczyć, że ja nie chciałam... to jakoś stało się samo. „Wierzę ci, kochanie – powiedziała – miłość ma to do siebie, że przychodzi, kiedy chce. Muszę cię tylko ostrzec, że Olo cię nie pokocha. Tak jak żadnej innej kobiety". Spytałam dlaczego, a ona na to, że jego jedyną miłością jest Warszawa i mimo że tamtej Warszawy, której oddał swoje serce, już nie ma, z taką rywalką nie wygramy. Ani ja, ani ona. Ta jedna rozmowa sprawiła, że moje uczucia zmieniły się o sto osiemdziesiąt stopni, po prostu przeniosły się na Jane. Byłam tym zdumiona, ale tak jak ona powiedziała, miłość przychodzi i odchodzi, kiedy chce.

Olo z powrotem jest teraz moim kochanym wujkiem i przyjacielem, a Jane kochaną przyjaciółką. Tak się sprawy mają, Tatku. Mam nadzieję, że nie poczujesz się zbulwersowany moją spowiedzią, ale nie chcę mieć przed tobą żadnych tajemnic. To takie cudowne, że nie jesteś jeszcze stary i rozumiesz uczucia!

Kochająca córka

Ania

Wieczorem poszedłem do Feliksa, który wrócił już z sanatorium.

– Ania napisała.

Powiedziałem to chyba z niewyraźną miną, bo spytał:

– I co znowu nabroiła?

– Po pierwsze, list wysłała pocztą i aż strach pomyśleć, co by było, gdyby wpadł w niepowołane ręce, a po drugie, opiekuje się małym słoniem i co gorsza, wyobraża sobie, że to mógłby być jej sposób na życie.

– Przejdzie jej, zobaczysz – pocieszył mnie przyjaciel. – To ambitna dziewczyna.

Na razie jej jakoś nie przechodziło, w kolejnych listach rozpisywała się na temat swojego wychowanka. Z innych wiadomości: poznała w końcu amerykańskiego syna Jane. Okazuje się, że jest leśnikiem i zoologiem, a także uznanym fotografem współpracującym z „National Geographic". Jedno z jego zdjęć dostało nawet nagrodę w konkursie World Press Photo.

Minęło parę miesięcy i wybuchła prawdziwa bomba: młodzi zakochali się w sobie i postanowili razem zamieszkać, a ponieważ Ania nie mogła pokazać się w Stanach, ich wybór padł na Australię. Dowiedziałem się tego wszystkiego z jej listu, który szedł jednak z Afryki tak długo, że kiedy w końcu doszedł, Adam już był na innym kontynencie, a ona wkrótce miała do niego dojechać. Nie przetrawiłem jeszcze tego, co mi napisała o swoich burzliwych perypetiach uczuciowych z Olem w roli głównej, a już musiałem przyjąć do wiadomości, że znowu została trafiona strzałą Amora. Tym razem szczęśliwie. O ślubie na razie nie było mowy, ale postanowili razem wyjechać i zacząć nowe życie.

– Co cię tak bulwersuje. – Feliks wzruszył ramionami. – Ty znałeś swoją narzeczoną trzy dni i już wziąłeś z nią ślub, a twoja córka musi odbyć obowiązkową kwarantannę?

– To były inne czasy, nie wiedzieliśmy, czy przeżyjemy następny dzień, więc i życiowe decyzje musiały być, siłą rzeczy, podejmowane w tempie ekspresowym.

– Ale teraz życie nabrało szybszego tempa, więc nie widzę w decyzji tych młodych czegoś nienormalnego. A co na to Zosia, no i matka tego młodzieńca?

– Nie wiem, przecież Olo od dłuższego czasu się nie odzywa.

– To musiało być jakoś uzgodnione, pewnie niebawem dowiemy się czegoś więcej. Powiem ci, że się cieszę. Może wkrótce doczekamy się wnuków.

– Jeśli już, to ja się doczekam – sprostowałem.

– Ty, oczywiście, że ty – odrzekł, starając się zachować powagę.

Widziałem, że w duchu podśmiewa się ze mnie i z tego, że mam problemy z niesforną córką. A mnie chodziło o jej bezpieczeństwo, bo wcale nie było powiedziane, że mogła się już czuć całkiem bezpiecznie. Często decyduje przypadek, komuś skojarzy się jej twarz, zaczną sprawdzać i wszystko potoczy się błyskawicznie: aresztowanie, deportacja i uwięzienie. Żeby już do niego dołączyła! – myślałem. Zosia, która miała łatwiejszy kontakt z Olem, przekazała mi, że oni też nic nie wiedzą, co się w tej Australii dzieje.

– Brak wiadomości to dobra wiadomość – pocieszał mnie Feliks.

Na tydzień przed świętami zadzwonił domofon i ktoś po polsku, ale z silnym akcentem, powiedział:

– Jestem Bogdan Wiewiórko, mam newsy od pana córki.

Czekałem w półotwartych drzwiach i zobaczyłem wchodzącego po schodach mężczyznę o wyglądzie troglodyty: szopa włosów na głowie, gęsta, rudawego koloru broda i do tego śmieszne druciane okulary na nosie. Ubrany był, jakby się wybierał na Spitsbergen. Kurtka z kapturem, wyraźnie za ciasna w ramionach, buty trapery. Kiedy wyprostował nogi, zajął niemal pół kuchni.

– Więc widział się pan z moją córką w Australii... – zacząłem.

– Za mało powiedziane, mieszkamy obok siebie i widuję się z nimi codziennie. Ja i Adam to para...

– Tak? – Nie bardzo wiedziałem, jak mam to rozumieć, ale on ciągnął dalej.

– Jesteśmy strażnikami łowieckimi w parku narodowym, pomagałem im też remontować dom, bo fajni z nich ludzie, krótko mówiąc, leżą mi...

– A pan od dawna w Australii?

– Od urodzenia, mój tata był u Andersa i po miłym przyjęciu przez Anglików, którzy po demobilizacji zaproponowali mu posadę stróża nocnego, wyjechał do Australii, to znaczy oboje wyjechali z matką. Poznali się jeszcze w Palestynie, też była w wojsku...

– No tak – powiedziałem. – Takie są nasze polskie losy.

Pan Bogdan zbył to milczeniem, szukał czegoś w plecaku i w końcu wyjął zmiętą kopertę. Było w niej imienne zaproszenie dla mnie od Adama Bogarta.

No ciekawe – przebiegło mi przez myśl – nawet nie wiem, jak ten Adam wygląda...

– Dziękuję, że pan się fatygował – bąknąłem.

– Przyjechałem do dziadków – wyjaśnił – bo oni nie podróżują, idzie im już pod setkę. Mieszkają w Suchowoli...

– A gdzie to jest?

– Niedaleko Kielc, taka wioska...

– Może pan przenocuje u mnie – zaproponowałem – i pojedzie rano, musi pan być zmęczony po podróży.

– Co to za podróż. – Machnął ręką. – A tutaj do Kielc dojadę, a potem załapię się na autostop.

Po jego wyjściu wziąłem kurtkę i ruszyłem do Feliksa. Powiedziałem mu o zaproszeniu.

– No, bardzo ładnie – stwierdził. – Poznasz zięcia *in spe*.

– Wiem tylko tyle, że był fotoreporterem, a teraz zamienił się w drwala.

– Widocznie mu to odpowiada – bronił go Feliks.

Wtedy jednak nie wybrałem się w odwiedziny za morza i oceany, bo wraz z kolegami siedzieliśmy nad pilnym projektem. Chyba po raz pierwszy od czasu odbudowy Starówki miałem poczucie, że tworzę coś ważnego, a poza tym w kraju coś zaczynało się dziać, zupełnie jakby spod pokrywki garnka wydostawał się groźny bulgot. Stanęła Stocznia Gdańska, a przywództwo nad strajkiem przejął elektryk z zawodu, wcześniej zwolniony z pracy, Lech Wałęsa. Podobno skakał przez płot... Cała Polska kibicowała stoczniowcom, którzy postawili komunistom twarde warunki. Ja byłem zdania, że to nie przejdzie i może się powtórzyć masakra sprzed dekady, ale Feliks jakby dostał skrzydeł, za wszelką cenę postanowił dotrzeć do Gdańska, chociaż takim zapaleńcom milicja skutecznie to utrudniała. Na drogach postawiono blokady.

– Dotrę tam – powiedział – nawet jeśli miałbym iść piechotą. Przyłączasz się?

– Nie – odrzekłem zdecydowanie.

– Dlaczego?

– Bo historia nas uczy, że gdy polska inteligencja w coś się wtrąca, to wychodzi z tego wielka klapa. To jest rozgrywka między władzą ludową a klasą robotniczą, może prosty lud będzie miał więcej szczęścia i rozumu. Przepędziłbym tych wszystkich profesorków, którzy koczują w stoczni na styropianie i podsuwają swoje żabie nóżki tam, gdzie konie kują.

– Wiesz co, Jurek, zaczynasz bredzić – powiedział Feliks i trzasnął drzwiami.

Odtąd do czasu podpisania porozumień sierpniowych oglądałem go tylko w telewizji. Zdumiewające, ale znalazł się w gronie tych jajogłowych doradców. Wrócił stamtąd w euforii i z dumą oświadczył, że został przewodniczącym NSZZ „Solidarność" na politechnice.

– Ty jako proletariackie dziecko z Pragi masz do tego legitymację. Gratuluję ci – powiedziałem.

– Chyba też się zapiszesz do związku?

– Raczej nie – odrzekłem. – Jestem osobą niezrzeszoną.

– Ale legitymację związkową architektów nosisz przy sobie.

– Niezupełnie, leży w szufladzie – zażartowałem.

– Nadstawiałem za ciebie głowę, jeśli się do nas nie przyłączysz, koniec z naszą przyjaźnią! – wybuchnął.

– Nie lubię, jak się mnie szantażuje – odrzekłem i odwróciłem się na pięcie.

Feliks nie dowiedział się więc, że zostałem dziadkiem, bo Ania w lipcu urodziła córeczkę, którą nazwali Marią Jane, po babci i prababci. Maria to imię mojej mamy. Mała Marysia miała nosić nazwisko ojca. Uważałem też, że Ania bez względu na to, w jakich były stosunkach, powinna o tych narodzinach powiadomić Zosię. Bolała mnie ta jej zaciętość, ich wzajemne relacje nie układały się harmonijnie, ale „zbrodnie", o które Ania oskarżała matkę, wynikały głównie z troski o nią. Gdyby Zosia nie podjęła bardzo trudnej decyzji ujawnienia zrabowanych przez RAF pieniędzy, być może Ani nie byłoby już wśród żywych. Napisałem do niej w dość kategorycznym tonie, że musi znaleźć sposób, aby jej matka dowiedziała się, że ma wnuczkę, i że w tym wypadku nie mam zamiaru być łącznikiem pomiędzy nimi. Oczywiście nie mogła zrobić tego listownie ani telefonicznie, bo dom

Zosi na pewno był pod obserwacją, ale skoro zjawił się ktoś, kto dostarczył z Australii zaproszenie dla mnie, także w tej sprawie powinien dotrzeć do niej jakiś „kurier". Ania odpisała mi jednak, że chwilowo nie ma takiej możliwości. A więc Zosia nic nie wiedziała i ten obowiązek spadał znowu na mnie. Planowaliśmy spędzić kolejne wspólne święta i to byłaby z pewnością ku temu okazja. W Berlinie mieliśmy zjawić się obaj z Feliksem, ale od pamiętnej wymiany zdań we wrześniu nie kontaktowaliśmy się ze sobą. Ja uważałem, że to on wytoczył armatę, więc powinien teraz pierwszy wyciągnąć rękę do zgody, on pewnie myślał podobnie. Kiedy powiedziałem Zosi, jak się sprawy mają, roześmiała się i zacytowała hrabiego Fredrę: „Paweł i Gaweł w jednym stali domu".

Po przyjeździe do Berlina poczułem się onieśmielony. Nasze sam na sam do czegoś zobowiązywało, tylko nie bardzo wiedziałem do czego. Jako mąż i żona spędziliśmy ze sobą noc wtedy w hotelu, ale na tym się skończyło. Żadne z nas nie dążyło potem do zbliżenia, przynajmniej nie wysyłało takich sygnałów. Ona traktowała mnie po przyjacielsku, na powitanie cmok w policzek, i tyle. Może uważała, że nie jest już atrakcyjna jako kobieta, i to ją powstrzymywało? Ciągle napomykała o swojej tuszy, że nie odważyłaby się na przykład wystąpić w roli Madame Butterfly czy Carmen, bo wyglądałoby to tak, jakby na scenę wszedł wieloryb.

– No, do wieloryba ci jeszcze daleko – zaoponowałem, ale bez przekonania.

Takie jej stwierdzenia stanowczo nie zachęcały do seksu. Twarz ciągle miała bardzo ładną, prawie bez zmarszczek, świetny biust, gorzej było od talii w dół, ale gdyby się za siebie wzięła i zrzuciła kilka kilogramów, stałaby się z pewnością bardziej atrakcyjna. Widocznie jednak jej na tym nie zależało, miała mocną pozycję w zawodzie i nie musiała niczego zmieniać. Być może to jej stwierdzenie: „miłość była rano", to odpowiedź na moje znaki zapytania. A ja? Czy chciałem coś w swoim życiu starego kawalera zmieniać? Odpowiedź byłaby jednoznaczna, gdybym nie miał przed oczami drugiego takiego osobnika jak ja, który z roku na rok coraz bardziej dziwaczał. Feliks za wszelką cenę starał się być potrzebny i kiedy tylko wytyczył sobie jakiś cel, kurczowo się go trzymał. Tak było z jego działalnością związkową, z której w końcu zrezygnował na rzecz polityki, lecz nie stało się to nagle.

W wigilijny wieczór, właściwie już noc, gdy zbliżała się północ, a Fredzia wybrała się na pasterkę, siedzieliśmy w saloniku przy zapalonej choince i popijaliśmy wino.

– Co tam słychać u naszej córki? – zadała pytanie Zosia. Od mojego przyjazdu unikaliśmy tego tematu.

– Właśnie, mam dla ciebie wiadomość, ale czekałem na specjalną okazję.

– Tak? A cóż to takiego? – spytała na pozór obojętnie.

– Zostaliśmy dziadkami.

W jej oczach dostrzegłem zdumienie.

– To znaczy?

– Ania urodziła córeczkę, Marysię...

Długi czas się nie odzywała.

– Dawno o tym wiesz?

– Niedawno.

– Od kiedy?

– No... od lata....

– Jest koniec grudnia – powiedziała prokuratorskim tonem. – Ile to dziecko teraz ma lat, miesięcy?

– Urodziła się pół roku temu, dwudziestego piątego lipca...

– Więc jest astrologicznym Lwem, jak ja – odrzekła. Chciała coś jeszcze dodać, ale głos się jej załamał.

Dotknąłem jej ręki.

– Wiem, że to trudne, naszą rodzinę los ciężko doświadczył...

– Rodzinę? – przerwała mi. – Jaką rodzinę? Mój mąż od dawna nie jest moim mężem, córka mnie nienawidzi...

– To nie tak, ona miała duże problemy ze sobą, ale teraz, wydaje mi się, odnalazła swoje miejsce. Upłynie jeszcze trochę czasu i wrócicie do siebie. Sama została matką, a to zmienia kobietę.

– Co ty możesz o tym wiedzieć?! – stwierdziła gorzko.

– Trochę wiem, bo ją obserwuję, co prawda głównie z daleka.

– Wymyśliła sobie, że ty będziesz tym wspaniałym, odzyskanym tatusiem, a ja złą macochą... która najlepiej by było, gdyby zeszła z tego świata!

– Nie mów tak!

– Mówię prawdę.

– Wiesz, prawda uczuć jest zupełnie inna niż ta, którą się powszechnie uważa za jedyny wykładnik. W uczuciach ktoś myśli, że nienawidzi, a naprawdę kocha, tylko nie chce się do tego przyznać nawet przed sobą.

Zosia wyciągnęła kieliszek w moją stronę.

– To literatura, Jurek. Lepiej nalej mi wina!

Wypiliśmy całą butelkę i nastrój nam się wyraźnie poprawił, przysunąłem się bliżej i położyłem dłoń na jej kolanie. Zosia zesztywniała, jak wtedy w Łańcucie, gdy w czasie spaceru wziąłem ją za rękę. Próbowałem obrócić to w żart.

– Chciałem sprawdzić, czy bierzesz mnie pod uwagę w swoich planach erotycznych, czy już jestem dla ciebie *passé*.

– A ja myślę, że to ja jestem taka dla ciebie, nie wiesz tylko, jak z tego wybrnąć. Zdejmę ci ten kłopot z głowy. Nie mam już planów erotycznych wobec nikogo!

– A tamten łańcucki orgazm?

– To już tylko piękne wspomnienie.

Spojrzałem jej prosto w oczy.

– Naprawdę nie chcesz tego powtórzyć?

– Ta chwila przeminęła – odrzekła.

– To dlaczego mnie do siebie zapraszasz? O co ci chodzi? – spytałem lekko poirytowany.

– Chyba o to, o co nam obojgu. Chcielibyśmy znowu być rodziną, ale zbyt długo nie było ciebie przy mnie, a mnie przy tobie... Tego nie da się skleić...

– Miłość była rano?

Zosia skinęła głową.

– A jednak chcesz czy nie, jesteśmy rodziną, właśnie urodziła nam się wnuczka! – powiedziałem, odczuwając rodzaj ulgi, że to niedomówienie raz na zawsze zostało między nami wyjaśnione. Widać kobiecej intuicji nie da się tak łatwo zwieść.

Odchodząc do swojego pokoju, pocałowałem Zosię w rękę. Była we mnie czułość dla niej, ale i smutek, że się jednak nie udało.

Ustaliliśmy listownie z córką, że kolejne święta spędzę z nimi w Australii, mieli tam też przyjechać Olo i Jane. Trochę mnie tak daleka podróż przerażała, ale z drugiej strony cieszyłem się na to spotkanie. Oczywiście wyniknął problem, jak powiedzieć o tym Zosi, i musiałem to zrobić odpowiednio wcześnie, co przyjęła nadspodziewanie dobrze, chyba się nawet ucieszyła.

– Przynajmniej będę miała informacje o córce z pierwszej ręki – powiedziała.

Miałem wylecieć z Warszawy piętnastego grudnia tysiąc dziewięćset osiemdziesiątego pierwszego roku, ale nie wyleciałem, bo dwa dni wcześniej w Polsce wprowadzono stan wojenny i zamknięto granice. W telewizji przerwano program, a punktualnie o północy na ekranie pojawił się generał Jaruzelski i wyjaśnił narodowi, że właśnie został ubezwłasnowolniony. Nie zwierzył się nam, jakie zamierza wprowadzić środki terroru, ale byłem pewien, że wkrótce się to okaże.

Rano gospodarz domu, pan Władek, który zawsze był dobrze poinformowany, uświadomił mi, co to była za noc. Walili kolbami w drzwi, a potem wyprowadzali ludzi, tych z „Solidarności", i ładowali do bud. Ktoś nawet twierdził, że jechali na Palmiry, jak za okupacji.

– Chyba nie będą rozstrzeliwać? – spytał, patrząc na mnie z troską.

Popędziłem przez park do Feliksa, ale drzwi jego mieszkania zastałem zamknięte. Długo pukałem, aż wychyliła się jego sąsiadka i wyjaśniła szeptem, że „pana profesora" zabrali w nocy w samej piżamie.

– I to w taki mróz, to są bestie nie ludzie, proszę pana!

Pierwsza moja myśl, że Feliks ma słabe serce! Byłem jednak bezsilny, nie wiedziałem, gdzie on jest. Wyłączono telefony, nie mogłem więc nawet do nikogo zadzwonić, ale wieczorem przyszła koleżanka Feliksa z politechniki z wiadomością, że został internowany i przebywa w areszcie śledczym na Białołęce. Podała mi kartkę, na której wypisał, jakich potrzebuje rzeczy z domu, miałem zapasowy klucz do jego mieszkania. Około tygodnia trwało załatwianie widzenia, ale paczkę przyjęli już następnego dnia. Nasiedziałem się wraz z innymi rodzinami w obskurnej poczekalni, zanim nas wpuścili za kratę. Na mój widok Feliks wykonał ruch, jakby chciał mnie objąć, ale w końcu tego nie zrobił. Usiedliśmy naprzeciw siebie. Biorąc pod uwagę ostatnie przejścia, był w naprawdę niezłej formie.

– Następnym razem włóż do paczki słoninę i cebulę, żeby mi nie powypadały zęby, bo zapowiada się, że trochę tu posiedzę – powiedział z krzywym uśmiechem. – Co u mnie słychać, to już wiesz, a co u ciebie?

– Zostałem dziadkiem, Ania urodziła córeczkę.

Feliks aż podskoczył.

– Co za wiadomość! Ucałuj obie od wujka Feliksa.

Odwiedziłem go na Białołęce jeszcze kilka razy, w naszych rozmowach staraliśmy się omijać drażliwe tematy, chociaż miałem ochotę wygarnąć mu, co myślę o jego kolegach, którzy ten bezprzykładny zryw sprowadzili do rynsztoka, prywata, prywata i jeszcze raz prywata, szczytne ideały poszły w kąt. Tego akurat się spodziewałem, bo wiadomo – polskie piekiełko prędzej czy później da o sobie znać, zaskoczyło mnie raczej to początkowe zwycięstwo. Zosia udzieliła schronienia kilku działaczom solidarnościowym, których stan wojenny zastał za granicą. Oczywiście ani myśleli wracać, defraudując, bo tak to trzeba nazwać, związkowe pieniądze. Siedzieli głównie w stołowym, pili wódkę, kopcili papierosy, nie mieli żadnych oporów, żeby pustoszyć jej lodówkę. Fredzia nawet chciała zamykać kuchnię na klucz, ale Zosia się nie zgodziła. I tak wyglądała ta proletariacka rewolta. Mówi się, że rewolucja pożera swoje dzieci, tu stało się odwrotnie, to te dzieci pożerały rewolucję!

Po kilku tygodniach internowania Feliks znalazł się w szpitalu, bo jego serce zbuntowało się na dobre i konieczna była operacja, wszczepiono mu by-passy. To był chyba jedyny zysk z tej całej awantury, bo on by się nigdy nie zdobył na dobrowolne pójście pod nóż. Widziałem, jak bardzo była mu nie na rękę ta choroba, świetnie się czuł w roli więźnia politycznego i z wielką chęcią powróciłby na swoją pryczę, ale lekarze postawili weto.

– Czy pan wie, ile kosztuje taka operacja na Zachodzie? – spytał go ordynator oddziału kardiochirurgii.

– Nie interesuje mnie to – odrzekł Feliks.

– A powinno, kosztuje majątek! Nie pozwolimy, aby zmarnował pan naszą pracę, więc zamiast na Białołękę pojedzie pan do sanatorium!

I tak się stało, osobiście go tam odwoziłem autobusem, bo nie mam prawa jazdy, a on nie mógł prowadzić.

Raz tylko Feliks nie wytrzymał i oznajmił:

– Pewnie jesteś zadowolony, że wyszło na twoje, ale nie powiedzieliśmy jeszcze ostatniego słowa!

– Zadowolony nie jestem – odrzekłem – ale niestety jest to chyba koniec marzeń.

Od niego się dowiedziałem, że nasi młodsi koledzy z Batorego potępili pacyfikację kopalni Wujek i każdego trzynastego dnia miesiąca przychodzili na lekcje ubrani na czarno, a na dużych przerwach milczeli. Feliks opowiadał o tym z satysfakcją, ale ja byłem pełen obaw, jak się to może dla nich skończyć. No i skończyło się tak, że dyrektorka szkoły zawiadomiła Służbę Bezpieczeństwa i na oczach kolegów wyprowadzono w kajdankach ucznia, który rozdawał w szkole zakazane ulotki. Doszło nawet do procesu, a ja ten jeden jedyny raz w powojennej Polsce opowiedziałem się po którejś ze stron, czyli w tym wypadku po stronie sądzonego chłopca. Chodziłem na rozprawy, dopóki nie zapadł wyrok uniewinniający.

– Nareszcie, ty oportunisto! – skomentował to mój przyjaciel.

Musiałem jednak przyznać, że on miał rację, bo czwartego czerwca tysiąc dziewięćset osiemdziesiątego dziewiątego roku w Polsce skończył się komunizm, jak nam zapowiedziała w telewizji pewna aktorka. Zanim to nastąpiło, i w ojczyźnie, i w moim życiu osobistym wydarzyło się kilka ważnych rzeczy. Komuniści i opozycjoniści zasiedli przy okrągłym stole, Feliks, który miał bardzo radykalne poglądy, nie był tym zachwycony, ja przeciwnie. Oto po raz pierwszy zmądrzeliśmy i zaczęliśmy ze sobą rozmawiać. A co do spraw osobistych, Ania i jej partner niezwykle przejęli się wprowadzeniem stanu wojennego, tym bardziej że na początku nikt nic konkretnego nie wiedział, więc zagraniczni dziennikarze podsycali jeszcze nastrój grozy, pisząc o terrorze, pacyfikacjach kopalń i wielu ofiarach. Starałem się Anię i Adama uspokoić korespondencyjnie, więc między Polską i Australią krążyły listy, początkowo z pieczątką: „ocenzurowane". Dowiadywałem się z nich, że Ania spodziewa się najpierw drugiego, a potem trzeciego dziecka. Rok po roku urodziła dwóch chłopców, którzy dostali imiona tym razem po dziadkach, starszy Jerzy, a młodszy Aleksander. Olo się co prawda zbuntował, twierdząc, że w żadnym razie nie czuje się jeszcze dziadkiem, na co Feliks dopisał się w liście, że czeka na kolejnego syna, bo jemu bycie dziadkiem wcale by nie przeszkadzało, a wręcz przeciwnie, czułby się zaszczycony.

I kiedy mu doniosłem, że czwarte jest w drodze, stwierdził:

– Na pewno będzie chłopiec!

Mnie te ciąże Ani przerażały, bo wyglądało na to, że zrezygnowała z ambicji zawodowych, zakopali się z Adamem w lesie, a ona stała się maszynką do rodzenia dzieci. Niezręcznie było mi rozmawiać o tym z Zosią, bo wiadomo, w jakich matka i córka były stosunkach, a kombatant Feliks rzucił się w wir polityki i był nieuchwytny. Przed czerwcowymi wyborami sfotografował się z Wałęsą i wybrano go do Senatu.

Okazało się jednak, że oni nie tylko siedzieli w tym lesie, ale też założyli wydawnictwo specjalizujące się w wydawaniu map i albumów. Przysłali mi jeden taki album, ze zdjęciami autorstwa Adama. Niektóre były niezwykłe, jak ziewający krokodyl albo lew siedzący na drzewie. Nigdy jeszcze nie oglądałem fotografii tak doskonałych pod względem technicznym.

Wyglądało więc na to, że życie rodzinne Ani jest naprawdę udane. Młodzi postanowili się nawet pobrać, ale czekali z tym do czasu, kiedy będę mógł do nich przyjechać. Odpisałem, że przyjadę z radością, pod warunkiem że zaproszą także Zosię, na co Ania odpowiedziała, że nie może tego obiecać, bo to jeszcze nie ten czas, a poza tym od paru lat mieszka z nimi i pomaga im w wydawnictwie Regine, jedna z córek Meinhof.

„Nic ci wcześniej nie pisałam, żebyś się nie denerwował, ale sam rozumiesz, że te dwie kobiety nie mogą się spotkać”.

Byłem zszokowany tą informacją. W jaki sposób ona do nich trafiła? A jeśli znalazła drogę, z pewnością znajdą ją niemieckie tajne służby. Zupełnie jakby Ania wywiesiła swój adres na słupie ogłoszeniowym. Czy oni naprawdę są tacy lekkomyślni? Feliks, który zwykle uważał, że histeryzuję, tym razem uznał to za niezbyt rozsądne. Zastrzegł jednak, że ma za mało danych, aby w pełni ocenić sytuację.

– W końcu są dorośli, nie narażaliby swoich dzieci, gdyby uznali, że istnieje jakieś poważne niebezpieczeństwo.

– To jest poważne niebezpieczeństwo! – odrzekłem.

– Nawet jeśli tak jest, nic na to nie poradzisz, więc przestań o tym myśleć. Ale skoro córka Meinhof jest z nimi od paru lat i nic się nie stało, to może nie ma się czym martwić.

Łatwo mu było mówić! Patrzyłem na fotografie wnuków, które Ania mi przysłała, i myślałem, czy uda mi się je zobaczyć. Któregoś dnia, przeglądając gazetę, natknąłem się na ogłoszenie o sprzedaży mieszkania w naszej dawnej kamienicy przy Rozbrat i wspomniałem o tym w liście do Ola. Odpisała mi Jane. Jest chora, nieoperowalny rak płuc, papierosy, papierosy!, więc jej dni są policzone. Nikt z rodziny o tym nie wie, nie chce ich martwić i prosi mnie o dyskrecję. A pisze do mnie w sprawie kupna mieszkania w tej kamienicy. Gdyby przypadkiem się okazało, że to dawne mieszkanie Olka, byłaby to pełnia szczęścia. Tak czy owak, przyśle mi pełnomocnictwo i pieniądze. Była pewna, że po jej śmierci Olo zechce wrócić do Warszawy.

Nie mogłem spać, takie informacje jak ta o córce Meinhof i nowotworze Jane potrafiłyby zbić konia z nóg. W dodatku musiałem zatrzymać dla siebie wiadomość o chorobie żony Ola, więc byłem z tym sam. W bezsenne noce wyobrażałem sobie, jakim ciosem okaże się dla mojego przyjaciela jej odejście.

To było dawne mieszkanie profesorostwa Zaneckich! Cena wydała mi się wygórowana, ale Jane od razu na nią przystała, obawiając się, że ktoś nas w tym kupnie ubiegnie. Idąc po schodach, przystanąłem przed naszymi dawnymi drzwiami i przez moment wydało mi się, że oto wracam ze szkoły, za chwilę wejdę do środka, a mama zawoła z głębi mieszkania, abym wytarł nogi...

W lipcu tysiąc dziewięćset dziewięćdziesiątego pierwszego roku Ania urodziła szczęśliwie czwarte dziecko, synka, któremu nadała imię Feliks, co nasz przyjaciel przyjął z entuzjazmem. Zapowiedział też, że wybierze się do Australii na chrzciny, ale ostatecznie zatrzymały go pilne sprawy w Senacie. A we wrześniu miał się wreszcie odbyć ślub mojej córki, zaplanowany kilka lat wcześniej. Niestety wtedy stan wojenny w Polsce, a co za tym idzie zamknięcie granic plany te storpedowały. Ja nie mogłem przyjechać, a Ania nie wyobrażała sobie, aby uroczystość odbyła się beze mnie. Tym razem zgodziłem się na przyjazd, nie stawiając już żadnych warunków, nie mogłem niczego opóźniać ze względu na Jane. Na pewno bardzo chciałaby być na ślubie syna.

Podróż dla kogoś takiego jak ja okazała się bardzo długa i męcząca, w końcu – było nie było – rok wcześniej skończyłem siedemdziesiąt lat. Skończyliśmy wszyscy, ja w czerwcu, Feliks w marcu, a Olo we wrześniu, więc jako bardziej zaawansowani wiekiem traktowaliśmy go trochę z góry.

Literat Roman Bratny napisał nawet książkę o naszym pokoleniu, *Kolumbowie. Rocznik dwudziesty*. Mnie się dosyć podobała, ale przyjaciele oświadczyli, że nie wezmą do ręki powieści komunistycznego śmiecia. I tyle na ten temat.

Na lotnisku w Melbourne czekała na mnie Ania ze swoim partnerem i dziećmi. To najmłodsze, kilkumiesięczne, Adam trzymał w nosidełku na piersi. Mimo że znałem go tylko z fotografii, zaskoczyły mnie jego ponadprzeciętny wzrost i bujna, kruczoczarna broda, którą zapuścił. Potem, kiedy poznałem Jane, jego matkę, byłem zdumiony, jak taka drobna osoba mogła wydać na świat podobnego olbrzyma.

Najstarsza Marysia była już wyrośniętą dziewczynką i piękną polszczyzną wyrecytowała wierszyk Marii Konopnickiej:

A jak poszedł król na wojnę,
Grały jemu surmy zbrojne,
Grały jemu surmy złote
Na zwycięstwo, na ochotę...

Spojrzałem na Anię.

– Ty wybrałaś ten utwór?

– Nie, ona sama – odpowiedziała. – Jest bardzo przejęta twoją powstańczą historią.

Potem po kolei witały się ze mną młodsze dzieci. Mój imiennik podał mi rączkę i powiedział:

– Cześć, dziadku, jestem Jerzyk i cieszę się, że przyjechałeś...

A młodszy o rok brat rozpłakał się, bo zapomniał, co miał powiedzieć. Wreszcie ruszyliśmy wszyscy do samochodu, była to maszyna podobna do czołgu, na olbrzymich gumowych kołach. Adam wyjaśnił, że ten dżip wodołaz jest w stanie pokonać każdą przeszkodę. Mój przyszły zięć też mówił świetnie po polsku, z ledwo dostrzegalnym akcentem.

– On jest poliglotą – wyjaśniła Ania. – Zna nawet chiński. I wyobraź sobie, że Chińczycy rozumieją, co do nich mówi...

Podróż dżipem trwała około godziny, odetchnąłem, kiedy skręciliśmy z autostrady, bo Adam prowadził bardzo szybko, na poboczach zaś widać było stada kangurów i w każdej chwili taki osobnik mógł nam wyskoczyć pod koła. Jechaliśmy jakiś czas leśną drogą, aż ukazała się potężna kamienna brama z wyrytym napisem: „Warszawa". Łzy zakręciły mi się w oczach, Ania to zauważyła i chwyciła mnie za rękę.

Dom też był z grubo ciosanego kamienia, z płaskim dachem pokrytym falistą blachą. Prowadziła do niego wąska i długa weranda, dopiero na jej końcu znajdowały się drzwi wejściowe. Grube mury w lecie chroniły przed upałami, a także przed częstymi tutaj pożarami buszu. Z pewnością nie była to piękna budowla, takie architektoniczne skrzyżowanie jamnika z buldogiem, poza tym większość okien wychodziła na północ, więc inne ściany były ślepe.

Adam kupił tę posiadłość z kompletnie zrujnowanym domem, pół roku trwał remont, ale Ania zjawiła się już na gotowe. Niewiele można było zmienić, tyle że usunęli na parterze ściany działowe, więc zrobiło się przestronniej. Pośrodku kominek z otwartym paleniskiem, z boku schody prowadzące na piętro.

– Jesteście jak pierwsi osadnicy na Dzikim Zachodzie – stwierdziłem.

Córka zaprowadziła mnie na górę, gdzie przygotowała dla mnie pokój. Otwierając drzwi, Ania powiedziała:

– Łazienka jest do twojej dyspozycji, tatku, nie wpuszczaj tam dzieci, mają toaletę na dole, a w nocy nocniki pod łóżkiem.

– Mnie to nie przeszkadza – odrzekłem.

– Obsikają ci sedes i podłogę – wyjaśniła. – Teraz odśwież się i zejdź na kolację.

Gdy spojrzałem w lustro, zobaczyłem, że mam ciemne worki pod oczami i obwisłe policzki, widocznie odbiły się na mojej twarzy trudy ponadtrzydziestogodzinnej podróży, ale nastrój i tak miałem dobry. Mimo długiej przerwy nie staliśmy się sobie z Anią obcy. Krążące między Australią a Polską listy podtrzymały więź, która narodziła się wtedy na lotnisku w Warnie.

Wziąłem prysznic, zmieniłem koszulę i poszedłem na dół. Stół był przygotowany do kolacji, ale wszyscy na mnie czekali. Była tam też obca kobieta. Domyśliłem się, że to właśnie ta córka Ulrike. Nie mówiła po polsku, więc zrobiło się zabawnie, bo dzieci szczebiotały w dwóch językach, z łatwością przechodząc z jednego w drugi, kiedy zwracały się do mnie albo do niej. Oczywiście każde chciało siedzieć obok dziadka, te starsze odepchnęły małego Ola i z jednej strony miałem Marysię, z drugiej Jerzyka. Oboje przytulali się, dotykali moich rąk, mojej twarzy, było to aż dziwne, jakby brakowało im w tym domu czułości.

– Przestańcie – powiedziała Ania – bo zagłaszczecie dziadzia na śmierć.

Córka Ulrike ani razu nie odezwała się sama z siebie, jakby przeczuwając mój dystans do swojej osoby. Ania coś do niej zagadywała, ale kobieta odpowiadała monosylabami, a po kolacji pierwsza wstała od stołu i wyszła na zewnątrz. Adam wyjaśnił, że Regine ma z tyłu domu osobne wejście do czegoś w rodzaju przybudówki, gdzie znajdują się pokój z łazienką i mała kuchnia.

– Jako architekt będziesz kręcił na to nosem – powiedział.

– Gdyby wasz dom stał obok Luwru, może i bym kręcił, ale tutaj, w lesie, wszystko jest dozwolone. W końcu to budowla w stylu bliżej nieprecyzowanym.

Oboje się roześmiali.

Mimo zmęczenia nie chciałem od razu po kolacji iść na górę, byłem ciekaw ich życia, miałem mnóstwo pytań, na które z wiadomych względów nie mogli w listach odpowiedzieć. Kiedy położyli dzieci spać, usiedliśmy przy kominku, aby móc spokojnie porozmawiać. Spytałem, dlaczego wybrali Australię i skąd pomysł na zamieszkanie na opuszczonej farmie.

– Wiele godzin przegadaliśmy na ten temat – zaczął Adam.

Jane i Olo byli zdania, że najbezpieczniejszym miejscem jest dla nich Afryka, uważali, że młodzi nie powinni się stamtąd ruszać, dopóki pamięć o Czerwonych Brygadach nie przyblednie, ale oni byli zakochani i chcieli wyrwać się spod opiekuńczych skrzydeł rodziców. Padło na Australię, więc Adam zaprenumerował kilka branżowych pism związanych z obszarami leśnymi i ochroną środowiska, bo zgodnie z jego kierunkiem studiów mógł się starać o taką pracę. No i wyczytał, że Departament do spraw Środowiska i Dziedzictwa Kulturowego ogłosił konkurs na strażnika parku narodowego, natychmiast się zgłosił, dołączając kopię dyplomu, dodatkowo Jane wystawiła mu pozytywną opinię jako pracownikowi fundacji. Kilka tygodni była cisza i nagle zaproszono go do Melbourne na rozmowę. Pojechał, musiał zrobić na egzaminatorach dobre wrażenie, bo nie dość, że otrzymał pracę, to jeszcze dano mu do wyboru dwa miejsca: Kinglake National Park i Kakadu National Park. Serce wyrywało mu się do drugiej propozycji, bo park położony na północy Australii był jednym z piękniejszych na świecie, wpisano go nawet na listę UNESCO, można tam było odnaleźć malowidła na skałach sprzed dwudziestu tysięcy lat. Zachwycał dziką przyrodą, a w porze jesienno-zimowej stawał się nieodstępny dla turystów, bo drogi były nieprzejezdne. Dla badacza przyrody i fotografa to po prostu wymarzone miejsce, ale wspólnie z Anią planowali dużą rodzinę i w związku z tym Adam wybrał bardziej cywilizowane warunki, jakie były w Kinglake, oddalonym tylko sześćdziesiąt kilometrów od Melbourne. Gdyby dzieci poszły do college'u, na weekendy mogłyby przyjeżdżać do domu.

– Ale na tej czwórce poprzestaniecie? – spytałem.

Widząc moją minę, oboje wybuchnęli śmiechem.

Kiedy Ania pierwszy raz wjeżdżała przez kamienną bramę, nie miała najlepszej miny, ale teraz nie wyobrażała sobie, że mogliby mieszkać gdzie indziej. Tutaj był ich dom, tutaj urodziły się ich dzieci...

– Wiesz, że jestem żoną mundurowego – powiedziała.

– To dlaczego mundurowy nie nosi munduru? – spytałem.

– Bo nie lubi, ale jak musi, to nosi!

Długo nie mogłem zasnąć, stary dom wydaje specyficzne odgłosy, coś w nim skrzypi, chrobocze, słyszałem za ścianą, jak któreś z dzieci przewraca się na łóżku, a kiedy udało mi się zdrzemnąć, obudził mnie płacz. Rano okazało się, że to Olowi przyśniło się coś złego.

– Jest nerwowy – starała się go usprawiedliwić matka. – Chyba przez ten stan wojenny, który tak przeżywaliśmy... Zaraz potem byłam z nim w ciąży.

Wszystko tutaj było dla mnie nowe, nie przywykłem do dłuższego przebywania z tyloma osobami naraz i podziwiałem Anię, jak sprawnie sobie z tym radzi. Rano odwoziła starsze dzieci do szkoły, w tym czasie młodszymi zajmował się Adam, potem kiedy ona wracała, on wyruszał na obchód swojego leśnego królestwa. I znowu trzeba było przywieźć dzieci, podać obiad. A jeszcze dochodziła do tego praca w wydawnictwie, przeznaczali na to wieczory, kiedy dzieci już spały. Być może ze względu na mnie ich lokatorka się nie pokazywała.

– Siedzi nad korektą nowego albumu – wyjaśniła Ania.

Kiedy zostaliśmy z Adamem sami, spytałem, w jaki sposób ich tutaj znalazła.

– To ja, na prośbę Ani, znalazłem ją – odrzekł. – Wiesz, że ona i jej siostra bliźniaczka jakiś czas przebywały w sierocińcu w Palestynie?

– Coś tam słyszałem – odrzekłem niechętnie.

– Matka nie chciała, aby wychowywał je ojciec, bo przestały jej się podobać jego poglądy.

– To właśnie jest ten obłęd!

– Niestety – zgodził się ze mną, ale najpierw obejrzał się, czy Ania nas nie słucha. – No więc pojechałem do Niemiec, ta druga, tak jak matka, studiowała dziennikarstwo, a Regine nie bardzo wiedziała, co ze sobą zrobić, i wyraziła ochotę przyjazdu do Australii.

Pokręciłem z dezaprobatą głową.

– To nie było przemyślane.

– Lubimy ją, stała się członkiem naszej rodziny.

Niestety – pomyślałem, ale nie powiedziałem tego głośno.

Marysia po powrocie ze szkoły nie odstępowała mnie na krok, już następnego dnia po moim przyjeździe zaprowadziła mnie do swojego pokoju i poczułam się zupełnie, jakbym znalazł się w muzeum powstania warszawskiego. Na ścianach powiększone zdjęcia z walk ulicznych: powstańcy w hełmach z biało-czerwonymi opaskami leżeli na brzuchu i celowali do wroga, na tle ruin młode, śmiejące się dziewczyny, z pewnością łączniczki, bo miały opaski na rękawach.

– Skąd masz te zdjęcia? – spytałem.

– Tata mi powiększył, z albumu – odpowiedziała. – Wydaliśmy taki.

– Ale dlaczego? W twoim wieku powinnaś bawić się lalkami...

Potem Ania uświadomiła mi, że był to spory nietakt z mojej strony, bo Marysia czuła się w pełni dorosła, od kilku lat należała do skautów, bardzo się tam zresztą udzielała. Jak bardzo, przekonałem się na własnej skórze, bo poprosiła, abym przyszedł do nich na zbiórkę i opowiedział o swoim udziale w powstaniu.

– Ale ja nie znam dobrze angielskiego – próbowałem się wymigać. – Tylko bym cię skompromitował.

– Będę tłumaczyła – odrzekła ze spokojem.

– Ale co ja bym tam miał mówić?

– O walkach, o przeprawie kanałami...

– Myślisz, że to ich zainteresuje?

– Na pewno.

Usiłowałem znaleźć inną wymówkę.

– Może lepiej, żeby dziadek Olo wam o tym opowiedział, jest lepszym mówcą ode mnie i zna angielski.

Marysia skrzywiła się.

– Ale dziadek Olo stale żartuje, nawet z poważnych rzeczy. Był już raz u nas na zbiórce i powiedział, że zdradzi nam w tajemnicy, że jest Jamesem Bondem i chwilowo się tutaj ukrywa... A powstanie oglądał z samolotu, bo zrzucał powstańcom prowiant i amunicję...

– Kiedy tak właśnie było! Piloci polscy i angielscy latali nad powstańczą Warszawę, niektórzy przypłacili to życiem, bo obrona niemiecka ich zestrzeliła.

– Ale dziadek Olo Jamesem Bondem nie jest!

– No nie – musiałem przyznać.

Z braku argumentów przystałem na wizytę u australijskich skautów, spytałem tylko przedtem Marysię, czy jako pomoc naukową możemy wziąć ze ściany zdjęcie tych roześmianych dziewczyn na tle gruzów, chyba to było nawet Śródmieście, okolice Nowego Światu i Wareckiej...

Marysia zgodziła się uszczęśliwiona. Jej mama zawiozła nas do szkoły, gdzie w sali z pomocami dydaktycznymi zebrali się skauci. Zdziwiłem się, bo w przewadze były dziewczynki, ale w związku z tym chyba dobrze trafiłem z opowieścią o łączniczkach. Narysowałem na tablicy trasę ze Starego Miasta do Śródmieścia, którą nosiły meldunki, i zacząłem:

– Jedną z takich bohaterskich dziewcząt była babcia Marysi, rekordzistka w przeprawach przez kanały. Miała wiele szczęścia, nie zginęła, nie została nawet ranna... Ale zdarzało się, że ta podziemna droga nie była dostępna, bo zasypało przejście, i wtedy łączniczki przedostawały się górą. Było to bardzo niebezpieczne, gdyż na dachach domów siedzieli niemieccy strzelcy wyborowi i strzelali do naszych koleżanek jak do kaczek. Kiedyś kula przeleciała babci Marysi tuż koło ucha i jakiś czas źle słyszała...

Opowiadając to wszystko, widziałem szeroko otwarte oczy mojej wnuczki i byłem pewien, że czeka mnie poważna przeprawa z jej mamą.

– A jak się nazywała babcia Marysi? – spytała jedna ze skautek. Ona, jak i reszta, przez szacunek dla tematu, jak mi potem wyjaśniła Marysia, przyszła na to spotkanie w galowym mundurku. Niewiele się różniły od tych naszych harcerskich, tylko nakryciem głowy nie była czapka z daszkiem, ale rodzaj okrągłego kapelusika.

Marysia przetłumaczyła mi to pytanie, ale ja już je zrozumiałem i gorączkowo zastanawiałem się nad odpowiedzią.

– Nazywała się Zofia Ziarnicka – powiedziałem wreszcie.

– A czy ona żyje? – spytała inna skautka.

– Żyje.

– Szkoda, bo moglibyśmy nadać naszemu hufcowi jej imię – odparła zmartwiona.

Ania odebrała nas po spotkaniu, Marysia w samochodzie była bardzo małomówna, a kiedy usiedliśmy wszyscy do kolacji, głośno zadała pytanie:

– Dlaczego my nic nie wiemy o naszej babci Zofii?

Córka spojrzała na mnie, jakby mnie chciała zasztyletować wzrokiem.

– Bo babcia mieszka bardzo daleko – odrzekła.

– Dalej niż dziadzio Jurek?

– Może nie dalej, ale w innym kraju.

– W jakim?

– W Niemczech.

– Ciocia Regine też mieszkała w Niemczech! – zawołała wnuczka.

– Ale teraz jest tutaj. Dosyć tych pytań!

Kiedy dzieci poszły spać, a my usiedliśmy we troje przy kominku, Ania wystartowała z pretensją:

– Dlaczego to zrobiłeś?

– Bo tak jest uczciwie – odrzekłem.

– Wobec kogo?

– Wobec prawdy.

– A ty wiesz, jaka jest prawda? – wybuchła. – Bo ja nie wiem.

– Prawda jest taka, że twoja matka nigdy nią być nie przestanie.

– Ale która, Zofia Ziarnicka przy Eva Meier?

– Nie masz prawa być jej sędzią, bo nie przeżyłaś tego, co ona. Twój gniew nie jest skierowany przeciw niej, ale przeciw okolicznościom, w jakich się obie znalazłyście. Ona działała w dobrej wierze, chciała dla ciebie jak najlepiej i to się głównie liczy. Czy spytałaś ją, co czuła, przechodząc przez bramki do Berlina Wschodniego z torbą pełną pieniędzy?

Ania wzruszyła ramionami.

– Kto by tam śmiał rewidować taką sławę! A gdyby nie ty, do tej pory siedziałabym w więzieniu.

– Tak? A dlaczego się tam znalazłaś?

– Ona mnie zadenuncjowała. Mnie i moich przyjaciół!

Pokiwałem tylko głową.

– Zapomniałaś dodać, że ci przyjaciele byli terrorystami i stwarzali poważne zagrożenie dla państwa!

– To jest ciągle jeszcze państwo nazistowskie, nie rozliczyło się!

Adam, który przysłuchiwał się naszej rozmowie – czy raczej kłótni – rzekł zniecierpliwiony:

– Przecież już zamknęliśmy ten temat i mieliśmy do niego nie wracać!

– Ale ojciec robi wodę z mózgu naszemu dziecku.

Zapadła cisza.

– Nie jestem już młody – odezwałem się wreszcie – i twoja matka też nie. W każdej chwili możemy zniknąć z tego świata i wtedy już niczego nie będziesz mogła cofnąć ani naprawić. Nie chcę, abyś wyrzucała to sobie potem do końca życia.

– No nie! To już szantaż moralny! – zawołała.

– To rada kogoś, kto jest ci bardzo życzliwy. Nikt nie wie lepiej ode mnie, co to są wyrzuty sumienia. Wychodząc do powstania, nie poczekałem na matkę, aby się z nią pożegnać, i więcej się już nie zobaczyliśmy.

– To jednak co innego – powiedziała cicho.

– To jest to samo, bo poprzedniego dnia bardzo się pokłóciliśmy, błagała mnie, abym nie szedł się bić, robiła – jak mi się wydawało – sceny. Powiedziałem jej wtedy, że ma kurzy móżdżek i nie widzi dalej niż czubek swojego nosa. Te słowa do tej pory palą mnie jak żelazo. Kiedy bliska osoba odchodzi i nie da się już niczego cofnąć ani naprawić, nie może nas spotkać nic gorszego. Chcę cię przed tym uchronić.

Ania ukryła twarz w dłoniach.

– Kiedy ja nie potrafię jej przebaczyć – rzekła, szlochając.

– To chociaż nie skazuj jej na śmierć cywilną, nie wymazuj jej z umysłów swoich dzieci.

– Postaram się – odpowiedziała.

Kolejne dni przynosiły ciągle coś nowego, mam tu na myśli samego siebie – ja, człowiek osobny, stroniący od tego, co można by nazwać życiem stadnym, wsiąkałem w nie, bo nawet gdybym chciał, nie mógłbym się wyłączyć. Każdego ranka dzieci wskakiwały mi do łóżka, aby się przywitać. Pod moją kołdrę pakowała się Marysia, była najszybsza, potem Jerzyk, a na końcu Olo.

– Prosimy o poranną bajeczkę – mówiło któreś, a ja coś wymyślałem naprędce.

Najbardziej przypadła im do gustu historyjka o kocie dziwaku, więc poprzestałem na tym, wymyślając mu przeróżne przygody.

Później, gdy dwoje starszych było w szkole, dreptał za mną Olo, zadając mi mnóstwo pytań, na które musiałem odpowiadać. Przeżyłem ciężką próbę, kiedy Ania pojechała do sklepu, pozostawiając pod moją opieką najmłodsze dziecko, które spało w wózku.

– Jak Feluś się obudzi i będzie płakał, wsadź go do nosidełka, zaraz się uspokoi – powiedziała.

Oczywiście obudził się zaraz po jej odjeździe, na szczęście zabrała ze sobą Ola, bo z dwójką bym chyba zwariował. Mały zanosił się płaczem, a ja nie radziłem sobie z tym nosidełkiem. Sprzączka ciągle ześlizgiwała się z paska, w końcu dałem spokój. Wyjąłem go z wózka i położyłem się razem z nim na sofie. Moja bliskość chyba go uspokoiła, zaczął gaworzyć, strasznie się przy tym śliniąc. Wycierałem mu buzię chustką do nosa, a on w pewnej chwili, zezując, spojrzał mi w oczy i uśmiechnął się samymi dziąsłami, czym mnie absolutnie zawojował. Potem często powracała do mnie ta scena i bardzo żałowałem, że mieszkam tak daleko od wnuków i nie mogę śledzić, jak się zmieniają, jak zaczynają postrzegać świat.

Kiedy córka wróciła, okazało się, że zasnęliśmy obaj, mnie dawała się we znaki zmiana czasu i robiłem się senny o różnych porach dnia, a mój wnuk z zasady dużo spał.

Któregoś dnia Marysia wróciła rozpromieniona ze szkoły, z wiadomością, że w miasteczku żyje kilku kombatantów z drugiej wojny światowej i bardzo chcieliby się ze mną spotkać, powspominać tamte czasy chwały.

– Wykluczone – powiedziałem.

– Ale dlaczego, dziadziu!?

– Bo ja przegrałem swoją wojnę, wywołałem powstanie po to tylko, aby zniszczyć jedno z piękniejszych miast w Europie. Powinno się mnie skazać na ciężkie więzienie!

Wnuczka patrzyła na mnie, mrugając oczami.

– Dlaczego tak mówisz?

– Mówię prawdę.

Broda zaczęła jej latać, widziałem, że się za chwilę rozpłacze, musiałem więc to złagodzić.

– Nie chcę już do tego wracać, wojna zawsze jest straszna i lepiej o niej zapomnieć. Wolę pograć z tobą w warcaby, niż wdawać się w jakieś dyskusje z kombatantami.

– Dobrze, to zagrajmy w warcaby – zgodziła się zrezygnowana.

Przed południem często bywaliśmy sami z moją córką, ona gotowała obiad, a ja jej pomagałem, na przykład obierając kartofle.

– Nigdy cię o to nie pytałem, ale chciałbym wiedzieć, czym było dla ciebie więzienie, to przecież parę lat twojego młodego życia...

Ania milczała dłuższą chwilę.

– Myślę, że gorzej bym się czuła, gdyby ona była w więzieniu, a ja na wolności...

– Ulrike? – chciałem się upewnić.

Skinęła głową.

– W Stammheim byłyśmy w stałym kontakcie, pisywałyśmy do siebie, a czasami mogłyśmy się nawet zobaczyć. Siedziałyśmy wtedy w milczeniu, trzymając się za ręce.

– Jak to możliwe? – spytałem zaskoczony.

Ania uśmiechnęła się.

– Wszystko, jak widać, jest możliwe, był tam taki zblatowany strażnik, kiedy miał dyżur, dawał się uprosić i otwierał nam cele.

– Dlaczego ona była dla ciebie taka ważna?

Zastanowiła się, zanim odpowiedziała.

– Ponieważ chciałyśmy razem zmienić ten zły świat!

Było już kilku takich – pomyślałem – i świat nigdy dobrze na tym nie wyszedł. Miałem nadzieję, że kiedyś dotrze to też do mojej córki.

Trzy tygodnie po mnie przylecieli z Afryki Olo i Jane. Cała rodzina pojechała ich powitać, oczywiście beze mnie, pamiętałem jeszcze tę szaleńczą jazdę i kangury po obu stronach drogi.

– Możecie mi zostawić Felka, po co męczyć takie małe dziecko – zaproponowałem.

– Nie, niech jedzie z nami przywitać dziadków – odpowiedziała Ania.

Gdy usłyszałem zajeżdżający samochód, wyszedłem przed dom. Najpierw wysypała się gromadka dzieci, potem dopiero wysiedli dorośli. Olo szedł w moją stronę z tym swoim hollywoodzkim uśmiechem, właściwie nic się nie zmienił, tylko przybyło mu siwych włosów na skroniach. Objęliśmy się, potem przedstawił mnie Jane.

– Kochanie, to jest właśnie Jerzy, druga połowa mojej duszy! – powiedział.

Miała włosy białe jak mleko, a kiedy się uśmiechnęła, zmarszczki rozbiegały się po jej twarzy. Nie mógłbym jednak powiedzieć, że wyglądała staro. Może to jej oczy były młode, tak samo jak uśmiech. Niewysoka, o drobnych dłoniach, kiedy podała mi rękę, miałem uczucie, że witam się z dzieckiem. Wyglądała znajomo, zupełnie jakby to nie było nasze pierwsze spotkanie, ale to chyba jej bezpośredni sposób bycia sprawiał, że szybko przestawała być kimś obcym.

Obserwowałem ich ukradkiem, byli taką świetną parą, zauważyłem też, do jakiego stopnia Olo jest od niej uzależniony, właściwie nie był w stanie podjąć nawet błahej decyzji bez jej akceptacji. Jak sobie poradzi z jej odejściem, myślałem. Ona też musiała zdawać sobie z tego sprawę, stąd pomysł, aby znaleźć mu azyl, a takim azylem mogło być zamieszkanie na Rozbrat, gdzie my z Feliksem bylibyśmy pod bokiem. Do jakiego stopnia się to sprawdziło, nie miała niestety już się dowiedzieć. Im bliżej ją poznawałem, tym bardziej byłem pod jej urokiem. Jane roztaczała wokół siebie niezwykłą aurę i wszyscy chcieli się ogrzać w jej cieple – dorośli i dzieci. W tej konkurencji natychmiast przegrałem, bo nasze wnuki z miejsca przeniosły na nią swoje zainteresowanie, nawet Marysia mnie porzuciła, nie odstępując babci na krok. Trochę się niepokoiłem, że Jane będzie się czuła zmęczona, była przecież bardzo chora, o czym nikt poza mną nie wiedział, ale chyba dobrze sobie z tym radziła. Potrafiła stawiać granice, czego ja nie umiałem. Kiedy chciała odpocząć, mówiła zdecydowanym tonem:

– Dzieciarnia, idę się położyć, zabraniam wchodzić na górę!

Nawet mały Olo to respektował, zatrzymywał się przy schodach i kładąc palec na ustach, mówił:

– Jane śpi!

Tak się dzieci do niej zwracały, bo nie pozwoliła się nazywać babcią.

Adam zaproponował mnie i Olkowi, że zawiezie nas w miejsca, gdzie nie stanęła ludzka stopa, na co oczywiście przystaliśmy. Była to niezwykła wyprawa, dżip wodołaz pokonywał wszelkie zatory na drodze, wspinał się na piaszczystą górę, z której wystawały potężne korzenie, wjeżdżał po osie do strumieni, miażdżył porzucone gałęzie, na terenie parku niczego nie wolno było usuwać, jedynym zarządzającym była tu natura. Kiedy wiatr powalił drzewo, nikt go nie sprzątał. Po paru godzinach takiej ekstremalnej jazdy postanowiliśmy zrobić sobie przerwę nad leśnym jeziorkiem, do połowy zarośniętym trzcinami. Kiedy wysiedliśmy z samochodu, z głośnym łopotem skrzydeł zerwało się w powietrze dzikie ptactwo.

Siedząc na zwalonym, omszałym pniu, posilaliśmy się, nieźle nas wytrzęsło, więc czuliśmy głód. Kiedy Adam oddalił się na chwilę, Olo spytał, czy wiem coś o Jane, czego on nie wie.

– Nie, dlaczego? – odrzekłem, unikając jego wzroku.

– Zauważyłem, że od jakiegoś czasu korespondujecie ze sobą.

– Jane chciała dowiedzieć się czegoś bliższego o twoich przyjaciołach, bo czyż nie jest tak, że jeden za wszystkich, wszyscy za jednego?

– Pewnie tak jest – zgodził się, ale chyba nie był przekonany, że to o to chodziło.

Muszę powiedzieć, że nie czułem się z tym najlepiej, bo przecież okłamywałem przyjaciela, nie do końca pewien, czy powinienem. Wiedziałem, że będzie miał o to do mnie pretensje, ale nie mogłem złamać obietnicy danej Jane.

– A co tam u naszego senatora? – spytał.

– Będzie znowu kandydował do Senatu, tym razem z ramienia partii Porozumienie Centrum.

– A cóż to takiego?

– Jeszcze nie wiadomo. Jak wiesz, ja się trzymam od tego z daleka, bo od czasu gdy zrobiłem krzywdę ojczyźnie w czterdziestym czwartym, nie mieszam się do jej spraw.

– Jak zawsze przesadzasz!

– Feliks pakuje się w jakąś awanturę – ciągnąłem. – Moim zdaniem szef tego tworu to podejrzana postać.

– Dlaczego?

– Ma twarz pokerzysty. Wraz z bratem bliźniakiem byli przybocznymi Wałęsy, wyglądało to dość humorystycznie, kiedy się ich widziało razem, bo są nie do odróżnienia. Takie dwa małe ludziki...

– Napoleon też nie był wysoki!

– Żaden z nich Napoleonem raczej nie zostanie. Wrócił Adam i ruszyliśmy do samochodu.

Ślub Ani odbył się w miejskim ratuszu, świadkami byli ta Meinhof i współpracownik mojego zięcia, rudzielec Bogdan. Nie poprowadziłem córki do ołtarza, bo ołtarza nie było, jako że uroczystość miała charakter świecki. Ania przyjęła nazwisko męża, a więc ta nielubiana przez nią Anna Postering odchodziła w niepamięć.

Oprócz rodziny młodzi zaprosili współpracowników z wydawnictwa, nauczycieli swoich dzieci i jeszcze kilku znajomych. Ze Stanów przyleciał przyjaciel Adama, który okazał się pasierbem Olka z jego pierwszego amerykańskiego małżeństwa. To przez tę przyjaźń, wówczas kilkunastoletnich chłopców, Olo poznał Jane.

Kiedy weszliśmy wszyscy do pięknie udekorowanej sali, orkiestra na podium zagrała walca z *Ojca chrzestnego*, a Olo zwrócił się do mnie:

– Ojcze, nie zwlekaj, poproś pannę młodą do tańca!

Powtórzył to po angielsku i wszyscy zaczęli bić brawo. Nie miałem wyjścia, wyzywając w duchu przyjaciela od najgorszych, wyszedłem z Anią na parkiet. Nawet nieźle mi poszło, zważywszy, że ostatni raz tańczyłem walca na swoim balu maturalnym. Ania miała skromną sukienkę i kwiaty wpięte we włosy, wyglądała tak świeżo, pięknie i do tego stopnia przypominała młodą Zosię, że chwilami myliło mi się, z którą z nich tańczę.

Olo dziwił się, że Ania nie zaprosiła matki na swój ślub. Rozmawialiśmy o tym przy stole.

– Zawzięła się i nic do niej nie trafia – powiedziałem. – Zrobiła z Zosi wroga numer jeden i obwinia ją o wszystko, co najgorsze.

– Sądziłem, że jak sama zostanie matką, lepiej się będą mogły porozumieć.

– Ja też na to liczyłem – odrzekłem z żalem.

– Spróbuję z nią porozmawiać.

– A myślisz, że ja nie próbowałem!

Olo tylko pokiwał głową.

W kilka dni po uroczystości on i Jane wracali do Afryki, bo niepokoili się o swoich czworonożnych podopiecznych. Słonik, którego swego czasu adoptowała Ania, tak bardzo przeżył jej wyjazd, że rozpoczął głodówkę. Próbowano go jakoś oszukać, nowy opiekun wkładał jej sukienkę, co wyglądało dość humorystycznie, ale chodziło o to, aby zwierzę poczuło znajomy zapach. Nic z tego, nie udało się go uratować. Od tej pory Jane pilnuje, aby opiekunowie jej podopiecznych często się zmieniali.

– No to, stary druhu – powiedział przy pożegnaniu Olo – mam nadzieję, że jeszcze trochę przed nami. – Objął mnie za szyję i mocno przyciągnął do siebie. – Oby więcej powitań niż rozstań!

– Przyjedź ty wreszcie do Warszawy – rzekłem. – Już jest wolna!

Pokręcił głową.

– Dopóki nie wysadzicie w powietrze tego symbolu poddaństwa, moja noga w Warszawie nie postanie!

– Trwa na ten temat dyskusja w Sejmie, może i tak będzie.

– Wtedy się pojawię!

Żegnając się z Jane, przytrzymałem jej rękę, a ona nieoczekiwanie przytuliła się do mnie. Poczułem, jaka jest wiotka, i ścisnęło mi się serce.

– Co to znaczy? – skomentował jej gest Olo. – Już ci się znudziłem i uwodzisz mojego przyjaciela?

– Nigdy mi nie mówiłeś, że jesteś zazdrosny! – odrzekła żartem.

– To mówię ci teraz!

Na to włączyła się Ania, która miała ich odwieźć na lotnisko.

– Jak tak będziecie się żegnać, to wam samolot odleci!

Olo objął żonę i ruszyli do samochodu, a pomagając jej wsiąść, klepnął ją w pośladek. Odwróciła się do mnie i zawołała ze śmiechem:

– Widzisz, jak mnie traktuje ten słodki brutal!

I tak ją zapamiętałem.

W przeddzień mojego powrotu do Polski Ania zakomunikowała mężowi, że ma się zająć domem i dziećmi, bo chce pobyć tylko ze mną. Z samego rana wybraliśmy się do Melbourne. Spacerując ulicami, mogłem z bliska przyjrzeć się architekturze miasta. Samo jego położenie nie było zbyt malownicze, ale centrum zrobiło na mnie ogromne wrażenie. Zasiedliśmy z Anią w kawiarni na górnym piętrze jednego z drapaczy chmur, skąd roztaczał się naprawdę niezwykły widok.

– Nie chcę, żebyś już wyjeżdżał – powiedziała moja córka. – Tak krótko byliśmy razem.

– Dobrych kilka tygodni!

– Mówię o naszym życiu.

Dotknąłem jej policzka.

– Pamiętasz, co ci powiedziałem wtedy na lotnisku w Warnie? Ty w moim życiu byłaś zawsze.

Ania uśmiechnęła się bez przekonania.

– Jednak liczmy od spotkania na warszawskim poddaszu.

– Nigdy cię nie spytałem, jak wyglądało twoje uwolnienie ze Stammheim, czy bardzo się bałaś...

– Zorientowałam się, że coś jest nie tak, gdy ci konwojenci zdjęli mi kajdanki, a potem kazali się przesiąść do czarnej beemki. Tam obok kierowcy siedział starszy facet, mundurowi wepchnęli mnie na tylne siedzenie, auto ostro ruszyło. Dopiero kiedy wyjechaliśmy z miasta, ten facet się do mnie odwrócił i powiedział, że właśnie wyszłam na wolność!

Potem Ania zarządziła, że musi mnie przewieźć Great Ocean Road – wzdłuż wybrzeża oceanu. Chciała mi też koniecznie pokazać Dwunastu Apostołów, okazały się nimi skalne kolumny stojące wprost w morzu.

Kiedy wracaliśmy późnym wieczorem, po obu stronach drogi świeciły kangurze oczy.

– Jako dobra córka zadbałaś o atrakcje dla starego ojca!

– Nie jesteś stary! – obruszyła się na to.

Następnego dnia odwiozła dzieci do szkoły i zaraz mieliśmy wyruszyć na lotnisko. Oboje nadrabialiśmy miną, ale było nam bardzo smutno.

– Widziałeś, że na przyjęciu ślubnym mój teść nadużył alkoholu?

– Owszem...

Przypadkowo, w toalecie, Ania podsłuchała jego rozmowę z Jane, która dość ostro stwierdziła, że koniec z piciem. Na co Olo spytał: „A dlaczego?”. „Bo jesteś pijany!” – usłyszał w odpowiedzi. Na to on, że przeciwnie, jest trzeźwy i będzie bronił swojej wersji, po czym zwalił się na podłogę. Jane go podnosiła.

– Nie ma z nim łatwo – powiedziałem, rozumiejąc, że to temat zastępczy, żeby się nie rozkleić.

– Ale kocha go i chyba jest z nim szczęśliwa.

– A ty wzięłaś ślub dla swojego męża czy dla dzieci?

– Dla niego, tato. Dzieci bardzo kocham, ale są dodatkiem do naszej miłości.

Przy pożegnaniu jednak pękliśmy, Ania, śmiejąc się przez łzy, powiedziała:

– To już będzie tradycja, że oboje płaczemy na lotniskach.

Jeszcze pomachałem jej, znikając za bramką, i to był już powrót do mojego samotniczego życia. Miejsce obok mnie w samolocie zajęła kobieta, której pomogłem umieścić bagaż podręczny na półce. Trzeba powiedzieć, że jej torba była tak ciężka, jakby przewoziła w niej kamienie. Podziękowała mi za pomoc po angielsku, ale potem wyjęła polskie kolorowe pismo.

– Miło mi, że będę podróżował z rodaczką – odezwałem się. – Jerzy Ziarnicki, warszawiak.

– Barbara Kośnik, też warszawiaczka.

– O, a jeśli można wiedzieć, w jakiej dzielnicy pani mieszka?

– Nowe Miasto.

– A ja przy Krakowskim Przedmieściu.

– To jesteśmy sąsiadami nie tylko w samolocie. – Uśmiechnęła się.

Na tym konwersacja się urwała. Ona przeglądała pismo, a ja ukradkiem przyglądałem się jej. Nie była już osobą młodą, nie farbowała włosów, więc gęste nitki siwizny sprawiały, że wyglądały jak popielate. Na twarzy miała dyskretne zmarszczki, tak bym to nazwał, bo pojawiały się tylko przy uśmiechu. Była skromnie, ale elegancko ubrana. Bluzka z krawatem, żakiet i spódnica. Sam się sobie dziwiłem, że tak ją obserwuję i oceniam, nigdy dotąd tego nie robiłem, nawet wobec kobiet młodszych i znacznie ładniejszych. Ona chyba nawet nie była ładna w tym obiegowym pojęciu, ale miała w sobie coś takiego, co przyciągało moją uwagę.

Samolot wystartował, rozpięliśmy pasy, po chwili stewardesy zaczęły roznosić tace, bo była pora obiadowa. Moja sąsiadka zamówiła kieliszek wina, a ja koniaku. Wymieniliśmy toasty.

– Za pomyślną podróż – powiedziałem.

A ona:

– Za miłe towarzystwo.

Zwykle bym się najeżył wewnętrznie, a tu przeciwnie, dobrze to odebrałem. Zamówiłem kolejny koniak i zaproponowałem też mojej współtowarzyszce.

– Nie należy mieszać trunków, więc pozostanę przy winie – odpowiedziała.

– A mogę być fundatorem?

– Czemu nie – odparła z uśmiechem.

Przywołałem więc stewardesę.

Pani Barbara spytała mnie, co robiłem w Australii, zgodnie z prawdą odpowiedziałem, że byłem u rodziny, ona zaś wracała z naukowego sympozjum. Była lekarką. I tak sobie rozmawialiśmy na różne tematy, ja opowiadałem o swoich wrażeniach z pobytu na Antypodach. Ona bywała tu częściej i twierdziła, że Europejczycy różnie reagują na odmienny klimat, architekturę, zresztą wszystko jest tam trochę inne, przestrzenie, budowle, nawet zwierzęta.

– Ma pani na myśli kangury?

– Chociażby.

– To prawda, zupełnie inaczej wyglądają niż na filmach, budzą raczej grozę.

– Grozę? – zdziwiła się. – Dlaczego?

– W rzeczywistości są większe, jest ich dużo, całe stada, i nie mają dobrodusznego wyrazu twarzy, o nie. Tak jakby chciały powiedzieć: jedno moje kopnięcie i już cię nie ma!

Roześmiała się głośno, aż kilku pasażerów spojrzało w naszą stronę.

– Zupełnie jakby mi pan opowiadał film grozy, coś w tym chyba jest. Te ich uśmiechnięte mordki mogą przestraszyć!

– To się cieszę, że pani też tak to odbiera.

– A moje zdanie ma dla pana znaczenie? – spytała, spoglądając na mnie.

Miała duże szare oczy i była w nich jakaś mądrość, inaczej nie umiałbym tego nazwać, to onieśmielało.

Podano nam kolację, a potem wyłączyliśmy lampki, prawie natychmiast zapadłem w drzemkę, nie opuszczała mnie jednak świadomość, że ona jest tuż obok. Delikatny zapach jej perfum powodował zamęt nie tylko w mojej głowie, ale i w moim ciele. Od lat nie doświadczałem takich odczuć z – powiedziałbym – podtekstem erotycznym. Poczułem się nagle zmieszany, na szczęście ona o niczym nie miała pojęcia.

We Frankfurcie nad Menem mieliśmy przesiadkę do Warszawy z dwugodzinną przerwą w podróży. Było naturalne, że razem poszliśmy do barku na kawę. Wyobrażałem sobie, jak wyglądam po wielu godzinach spędzonych w samolocie, pewnie podobnie jak po podróży w tamtą stronę. Jedyna dostępna toaleta to opłukanie twarzy i umycie rąk. Ona zniosła te trudy nadspodziewanie dobrze, tylko poprawiła makijaż i już wyglądała tak jak w Melbourne.

– Widocznie lekarze mają jakiś patent na podróżowanie – zażartowałem. – Architekci przeciwnie, schodzi z nich powietrze.

– No, tak zupełnie z pana nie zeszło – odrzekła też żartem. – Wygląda pan interesująco!

– Dziękuję za komplement i odpowiem, że nieporównanie mniej niż pani. A w czym się pani specjalizuje?

– Jestem seksuologiem.

Spojrzałem na nią zdumiony.

– Myślałem, że tym zajmują się wyłącznie mężczyźni.

– Dlaczego pan tak myślał?

– No bo... to zwykle mężczyźni mają kłopoty tej natury.

– W dzisiejszym świecie podobne kłopoty może mieć każdy. Pośpiech, stres powodują, że ta sfera bywa poważnie zaburzona u jednej i u drugiej płci.

– Nie wiedziałem.

Poproszono nas do samolotu, już nie siedzieliśmy obok siebie, ale i tak można powiedzieć, że czar prysł. Wystraszyłem się jej „męskiej" specjalności, bo jakoś nie przekonała mnie do końca. Nigdy bym nie poszedł do kobiety z tego rodzaju problemem i sądzę, że tak zachowałaby się większość mężczyzn.

Na lotnisku w Warszawie pierwszy stanąłem do odprawy paszportowej i chciałem ustąpić jej miejsca, ale odpowiedziała, że kolejka szybko się posuwa i nie trzeba. Potem wcześniej odebrała bagaż, więc nie wiedziałem, kto i czy w ogóle po nią wyszedł. Był to koniec naszej znajomości, a przynajmniej tak mi się wydawało, ale nie potrafiłem przestać o niej myśleć. Stale miałem przed oczami jej twarz i uśmiech... W jej zachowaniu było coś takiego, co sprawiało, że chciało się przebywać w jej towarzystwie, znikała wszelka obcość. Ale możliwe, że to sprawa profesji, seksuolog jest także psychoterapeutą, który zna różne sposoby, aby zachęcić pacjenta do zwierzeń. I czyż nie tak było ze mną? Ja, człowiek z natury nieufny, w czasie wspólnej podróży opowiedziałem sporo o swoim życiu, a o niej nie wiedziałem nic ponad to, że mieszka na Nowym Mieście. Stary głupiec, zastawiła na mnie pułapkę, a ja dałem się w nią złapać. Mimo wysiłków nie udawało mi się wyrzucić jej z głowy. Zacząłem baczniej zwracać uwagę na mijające mnie na ulicy kobiety, raz nawet mignął mi płaszcz podobny do tego, jaki miała na sobie w trakcie podróży, i serce skoczyło mi do gardła, w nagłym odruchu poszedłem za tą osobą. Oczywiście to nie była Barbara. Co się dzieje – myślałem – zaczynam tracić nad sobą kontrolę.

Mimo licznych zajęć Feliks też zauważył, że coś nie gra.

– Chyba rozwaliła cię ta podróż do rodziny, wyglądasz jak siedem nieszczęść!

Co mu miałem powiedzieć? Że mając siódmy krzyżyk na karku, zakochałem się jak sztubak? Niestety, tak to chyba wyglądało. Ona pewnie miała rodzinę, męża, z którym żyła w szczęśliwym związku.

Był początek listopada, szedłem na spotkanie z Feliksem przez Ogród Saski, kiedy nagle zobaczyłem Barbarę przed sobą. Oboje przystanęliśmy. Ona, patrząc mi prosto w oczy, odezwała się pierwsza:

– Tęskniłeś za mną!

– Jak wariat!

– Ja za tobą też, chodź! – Pociągnęła mnie za rękaw, a ja bez oporu poszedłem za nią. – Mieszkam przy Freta, róg Franciszkańskiej – wyjaśniła.

Weszliśmy na drugie piętro w starej kamieniczce. Miała nieduże mieszkanie, przedpokój zastawiony był regałami pełnymi książek, trzeba było się przeciskać.

– Łazienka jest tam. – Wskazała mi drzwi.

– Mam umyć ręce? – spytałem.

– Nie, masz się rozebrać, bo idziemy do łóżka.

To, co powiedziała, tak nie pasowało do całej sytuacji, że wydawało mi się, że się przesłyszałem.

– Nie przesłyszałeś się – odrzekła, jakby czytając w moich myślach. – Zapraszam cię do łóżka i nie jestem wariatką, po prostu pragnę być z tobą, a ty czujesz podobnie.

– Nie wiem, co ja czuję, właśnie mnie przed chwilą wykastrowałaś! Nie muszę ci opowiadać, co mam między nogami...

Popatrzyła mi głęboko w oczy, a potem podeszła i przytuliła się, szepcząc mi do ucha:

– Zaradzimy temu.

I stało się coś zdumiewającego, poczułem niespodziewany przypływ pożądania, niemal zrywając z siebie ubranie, znaleźliśmy się w łóżku. Barbara była naprawdę specjalistką od miłości, świetnie się orientowała w topografii mojego ciała, chwilami gdzieś odpływałem, traciłem nad sobą kontrolę, nagle wszystko stało się dozwolone. Ona nazwałaby to pewnie seksem oralnym, ale ja bym wolał mówić o miłości francuskiej. Uważałem, że tylko uczucie do kobiety na to zezwala, a ona nie spytała mnie o zgodę. Nie musiała pytać, nasze ciała z pewnością grały w jednej, idealnie dostrojonej orkiestrze...

Była moją jedyną łóżkową zdobyczą, mówiąc nieelegancko, która przeprowadziła szczegółowe śledztwo w sprawie moich blizn.

Dotykając pleców, spytała:

– Tędy wlot kuli?

Potwierdziłem ruchem głowy.

– Powstanie?

– UB.

– Jesteś urodzony pod szczęśliwą gwiazdą, trafili cię dosłownie o milimetr od serca!

Było już widno w oknach, kiedy oboje poczuliśmy się bardzo głodni. W jej małej kuchence jedliśmy na stojąco suchą kiełbasę, zagryzając chlebem.

Chciałem ją spytać, czy jest osobą wolną, ale zabrakło mi odwagi. Ona, jakby czytając w moich myślach, powiedziała:

– Rozwiodłam się dość dawno, a z ostatnim partnerem rozstaliśmy się kilka lat temu. Mam dwóch dorosłych synów, mieszkają za granicą, jeden w Londynie, drugi w Nowym Jorku. Obaj są lekarzami.

– Seksuolodzy?

– Wyobraź sobie, że nie. Starszy, Jaś, jest chirurgiem, a Jędrek specjalizuje się w medycynie nuklearnej.

– Dlaczego wyjechali z Polski?

– Nie widzieli tu dla siebie perspektyw, sam dobrze wiesz, w jakich warunkach przyszło nam pracować. Nie jest łatwo. Dlatego ojciec ściągnął młodszego syna do siebie, wiele lat temu wyemigrował do Stanów.

– Pewnie też jest lekarzem?

Skinęła twierdząco głową.

Kiedy szedłem do domu, zastanawiałem się, ile Barbara może mieć lat, ciągle jeszcze pracowała, z tego co mówiła, była w Australii na jakimś sympozjum naukowym. Ja, kiedy przekroczyłem ustawowy wiek, przeszedłem na emeryturę, ale jako twórca miałem ten przywilej, że mogłem spokojnie pracować dalej. A ona... miała świetne ciało, wyraźnie dbała o kondycję. Powiedziała, że kiedy tylko może, wkłada dres i biega nad Wisłą albo w lesie kampinoskim.

Wychodząc, pocałowałem ją w policzek.

– Ale mnie potraktowałeś po chrześcijańsku! – rzekła.

Roześmiałem się.

– W twoim przedpokoju wolę mieć się na baczności, ale dobrze wiem, gdzie u ciebie jest łazienka.

– A u ciebie? – spytała, mrużąc oczy.

– Może pokażę ci wieczorem?

– Nie, musimy zachować rozsądek, w sobotę!

Już na schodach słyszałem, że w moim mieszkaniu dzwoni telefon. Feliks.

– Co się z tobą działo? Szedłeś do mnie i nie doszedłeś! Obdzwoniłem wszystkie szpitale!

Nagle nie wiedziałem, co odpowiedzieć.

– Wypadła mi pilna praca, siedziałem nad tym całą noc.

– Ale przecież zadzwonić mogłeś – odrzekł z wymówką.

– No, mogłem.

Odłożyłem słuchawkę, nie wiedząc, co dalej powinienem ze sobą zrobić. We własnym domu poczułem się tak, jakbym znalazł się tutaj po raz pierwszy, a przecież spędziłem w tych ścianach większość życia. Wszystko tu było na swoim miejscu, jeśli położyłem okulary do czytania na biurku, mogłem je potem odnaleźć bez trudu. Mój świat był poukładany jak koszule w szafie. I teraz nagłe zawirowanie, a nawet więcej. To, co się wydarzyło poprzedniego dnia, było jak jakaś hekatomba, która zatrzęsła moim życiem. I co z tym dalej? Nie znałem odpowiedzi, a nawet gorzej, bo nagle zrozumiałem, że nie znam samego siebie. Gdyby jeszcze dzień przed spotkaniem Barbary w parku ktoś mi powiedział, że wydarzy się to wszystko, uznałbym go za wariata. Do tej pory uważałem przysłowia za coś bzdurnego, ale jak widać, nie należy lekceważyć mądrości ludowej, powiedzenie „głowa siwieje, dupa szaleje" w moim wypadku sprawdziło się w stu procentach. Zawsze się obawiałem śmieszności, a teraz byłem tego niebezpiecznie blisko. Więc przerwać to? Nie odbierać od niej telefonów, udawać, że się nie znamy? Tak byłoby najrozsądniej, ale wiedziałem, że się na to nie zdobędę. Potrzeba zobaczenia jej była tak silna, że tłumiła wszelkie przebłyski zdrowego rozsądku. Nie mogłem doczekać się soboty, a był dopiero czwartek.

Jednak spotkaliśmy się u niej, bo Barbara przygotowała kolację. Piękna zastawa, kwiaty na stole, ale kiedy tylko zamknąłem za sobą drzwi, niemal rzuciliśmy się na siebie i – jak poprzednim razem – zanim znaleźliśmy się w łóżku, wszystkie części naszej garderoby leżały na podłodze. Ten stan ekstazy – to chyba odpowiednie słowo – trwał u mnie wiele godzin. Byłem jak człowiek na pustyni, który dorwał się do źródła i pije, pije, pije. Bliskość jej nagiego ciała, dotknięcia, to wszystko powodowało we mnie przypływ niezwykłej energii, czułem się niemal jak dwudziestolatek, który po raz pierwszy dotyka kobiecego ciała, poznaje je i trochę po omacku uczy się tajników miłosnej gry. Barbara była świetną nauczycielką.

Dopiero nad ranem usiedliśmy przy stole, ale w kuchni, i znowu coś jedliśmy na chybcika.

– A tak się namęczyłam z risottem, pewnie już zdechło w piekarniku – westchnęła.

W pewnej chwili rozchylił się jej szlafrok, odsłaniając nagą pierś, poczułem raptowny przypływ pożądania. Uśmiechnęła się.

– Uprawianie seksu jest ciężką pracą, musisz coś zjeść!

– Uprawianie seksu! Mówisz teraz jak ci twoi koledzy, którzy wycierają tyłkami telewizyjne kanapy i bredzą o tym, jak ten seks uprawiać!

– I słusznie, pod względem edukacji seksualnej jesteśmy na przedostatnim miejscu przed Bangladeszem.

– Niech każdy dochodzi do tego sam!

– O, ciemnogród się kłania! – odrzekła.

– Proszę tylko o trochę romantyzmu.

– Dwoje niemłodych już ludzi przeżywa uniesienia miłosne jak nastolatkowie, czyż to nie romantyczne?

– A jak było z tobą do tej pory? – odważyłem się spytać.

– Do tej pory właśnie uprawiałam seks, gdy mi przyszła ochota, jeśli to cię interesuje – z młodszymi, nawet z dużo młodszymi...

– Nie dziwię się im, jesteś bardzo atrakcyjną kobietą!

– Dziękuję. – Roześmiała się.

– A teraz nie przeszkadza ci, że pieścisz ciało starca?

Znowu się roześmiała.

– Nie zauważyłam, żebyś był starcem, niejeden młokos mógłby ci pozazdrościć potencji!

– Nie wiem, czy to nie łabędzi śpiew, do tej pory mój... instrument był długo w uśpieniu, może szybko się zużyć...

– Poradzimy sobie – odparła z prostotą.

I jakoś sobie radziliśmy. Spotykaliśmy się głównie w soboty i zostawałem u niej na noc. Prawie nie wychodziliśmy wtedy z łóżka, a w inne dni tęskniłem za nią. Stałem się roztargniony, często nie rozumiałem, co się do mnie mówi.

– Co z tobą? – spytał mnie w końcu Feliks. – Przechodzisz jakieś męskie klimakterium, czy co?

Chciałem mu odpowiedzieć, że wręcz przeciwnie, ale w porę ugryzłem się w język.

Na początku grudnia zatelefonowała Zosia z pytaniem: co ze świętami. Po moim powrocie z Australii umówiliśmy się, że przyjadę jak zwykle na Boże Narodzenie i wtedy więcej jej opowiem, co u naszej córki. Teraz nie wiedziałem, jak z tego wybrnąć.

– Jeszcze jest trochę czasu – odparłem wymijająco.

– Chyba już nie – odrzekła. – Potem, jak znam polskie obyczaje, będą gigantyczne kolejki po bilety.

Rozmawiała ze mną tak, jakby było oczywiste, że przyjeżdżam, a ja chciałem spędzić święta z Barbarą. Nie wyobrażałem sobie, że mogłoby być inaczej. Ale jak ją miałem o tym powiadomić, żeby nie poczuła się zraniona? Była samotna, za jedyne towarzystwo miała tę Ślązaczkę, która z roku na rok coraz gorzej słyszała i trzeba było do niej niemal krzyczeć. Tak to wyglądało, że w willi za wysokim murem mieszkały dwie stare, skazane na siebie kobiety. Zosia już parę lat wcześniej zrezygnowała ze sceny, występowała sporadycznie, kiedy ją zapraszano na jakieś uroczystości. Co prawda z Barbarą też jeszcze nie rozmawiałem o zbliżających się świętach, może ona w swoich bożonarodzeniowych planach nawet nie brała mnie pod uwagę. Synowie na przykład mogli do niej przyjechać. Wszystko jedno, chciałem być jak najbliżej niej i na pewno spotkalibyśmy się w tym czasie, aby złożyć sobie życzenia. Więc nie mogąc dłużej tego odwlekać, jak tchórz napisałem do

Zosi, że w tym roku postanowiliśmy z Feliksem spędzić święta w górach. Z racji jego zajęć rzadko się widujemy i chciałbym poświęcić więcej czasu przyjacielowi, w końcu, kto wie, ile nam jeszcze pisane. Ale Feliks nieoczekiwanie oświadczył, że jest gotów spędzić święta w Berlinie, bo Zosia od lat go zaprasza.

– Nawet zadzwoniłem do niej, aby wysondować, co ona na to – powiedział.

– I co ona na to? – spytałem, czując zimno na plecach.

– Ucieszyła się.

– Ale ja do niej nie jadę.

– Chyba żartujesz! – zawołał.

– Mam inne plany świąteczne.

– To znaczy?

– Czy ze wszystkiego muszę ci się tłumaczyć – odrzekłem ostro.

Feliks spojrzał mi prosto w oczy.

– Czyżby kobieta?

– A jeśli kobieta, to co? – Najeżyłem się.

– No... dobrze, czemu nie...

Trzeba przyznać, że jako człowiek dyskretny o nic mnie nie wypytywał, skoro ja nic nie mówiłem.

Barbara spytała mnie wreszcie, jak mam zamiar spędzić święta i sylwestra, odparłem, że bardzo chciałbym z nią, ale jeśli ma inne plany, zrozumiem.

– Nie mam innych planów – odparła. – Więc u ciebie. Ja zatroszczę się o prowiant, a ty o choinkę. Masz bombki i te inne świecidełka?

– Nie mam – odrzekłem zbity z tropu.

– Kup!

Zawsze była taka konkretna, narzucała swoją wolę, ale jakoś mi to nie przeszkadzało. Może dlatego, że jej siły żywotne promieniowały na mnie i dawało to nadspodziewany skutek, chociażby w sferze seksu. Coś w tym jest, że kiedy między dwojgiem ludzi utrzymuje się napięcie erotyczne, wszystkie inne sprawy układają się w miarę harmonijnie. Nie wiem, czy to, co do niej czułem, to była miłość czy tylko fascynacja jej osobą. Jako młody człowiek pokochałem dziewczynę, która została moją żoną, i inaczej pamiętałem tamto uczucie niż to teraz. Możliwe, że miłość rano, jak to nazwała Zosia, różni się od miłości wieczorem, ale chyba nie warto się tak znowu nad tym zastanawiać...

W przeddzień Wigilii, jako że chodziło o różnice czasowe, a dzieci chciały koniecznie ze mną rozmawiać, zadzwoniła rodzina z Australii, a w Wigilię Olo i Jane. Kiedy wzięła słuchawkę, spytałem, jak się czuje. Odrzekła, że dobrze, ale zaraz dodała, osłaniając mikrofon, że nasza umowa obowiązuje. Zadzwoniłem też do Berlina. Feliks w końcu się tam nie wybrał, bo stwierdził, że nie wypada, aby spędzał święta z moją żoną, kiedy mnie nie będzie.

– Zosia już nie jest moją żoną – stwierdziłem.

– A kiedy to się rozwiedliście?

– Wiesz, że się nie rozwiedliśmy, ale to czysta formalność.

Popatrzył na mnie z politowaniem.

– Żonę ma się jedną i na całe życie.

Ty na pewno – pomyślałem.

Połowę Wigilii Feliks spędził na cmentarzu, przy grobie Sabinki, mimo mrozu i śniegu.

Zosia z miejsca spytała mnie, czy już jesteśmy z przyjacielem w górach.

– Których to, w Tatrach czy we włoskich Dolomitach?

– Przecież już wiesz, że w Warszawie – odrzekłem skruszony. – Nie umiałem ci powiedzieć, że w moim życiu osobistym zaszły zmiany...

– To powiedz mi teraz!

– Spotkałem kogoś i... chyba jesteśmy ze sobą...

– Chyba?

– No, jesteśmy, to znaczy nie mieszkamy razem, ale spotykam się z nią... no i spędzimy wspólnie święta...

– Mogłeś mi od razu powiedzieć, byłoby mi mniej przykro.

Na chwilę w słuchawce zapanowała cisza.

– Ty zawsze będziesz dla mnie kimś ważnym, wiele wspólnie przeżyliśmy – zacząłem. – To zostawia ślad w duszy i w sercu do końca życia...

– Dużo nam nie zostało, przynajmniej mnie.

– Dlaczego tak mówisz?

– Bo tak czuję. Jeśli chodzi o mnie, wszystko już skończone. Chciałabym tylko, aby córka zobaczyła we mnie człowieka...

– Ona do tego dojrzewa.

– Tak? A ile jeszcze lat potrzebuje? Pięć, dziesięć? Żebym tylko zrozumiała, co chce mi przekazać.

– Zosiu, jest Wigilia, nie jątrz tego. Zobaczysz, to się zmieni na lepsze prędzej, niż myślisz. Wiesz, jaka Ania się robi do ciebie fizycznie podobna!

– Nie wiem, dawno jej nie widziałam, ale masz rację. Życzę ci, aby ci się udało z tym kimś...

– Ma na imię Barbara.

– Więc z panią Barbarą, i zdrowia przede wszystkim, bo to w naszym wieku najważniejsze.

– A ja tobie życzę spokoju serca, bo chyba tego najbardziej potrzebujesz.

Z Barbarą przełamaliśmy się opłatkiem, a potem zasiedliśmy przy wigilijnym stole. Było sianko pod obrusem, po raz pierwszy wszystkie potrawy były postne, a na stole ani kropli alkoholu.

– Nie wiedziałem, że jesteś taka religijna!

– W ogóle nie jestem religijna, ale przestrzegam tradycji, w końcu po coś ona jest.

Potem siedzieliśmy przy zapalonej choince i słuchaliśmy kolęd.

– Kobiety nie należy pytać o wiek, ale ile miałaś lat, kiedy wybuchło powstanie?

– Szesnaście.

– To jesteś tylko dwa lata młodsza od mojej żony – rzekłem naprawdę zdumiony.

– Co z tego wynika?

– Że wyglądasz jak jej córka!

– Nie przesadzajmy. – Uśmiechnęła się. – Ona była łączniczką?

– Tak.

– Ja oglądałam dym nad Warszawą z Otwocka, spędzałam wtedy wakacje u babci.

– To miałaś szczęście!

– Niezupełnie, moi rodzice zostali w mieście i oboje zginęli, a byłam jedynaczką. Rok później umarła babcia, a ja wylądowałam w domu dziecka.

Powiedziała to tak lekko, jakby spędziła młodość w dobrobycie, otoczona miłością bliskich, i na taką zresztą wyglądała.

– A dalej?

– Dalej osiągnęłam pełnoletność i wykopano mnie na ulicę, nikt się nie przejmował burżujskim dzieckiem. Ojciec przed wojną był właścicielem fabryki produkującej części zamienne do samolotów. Mieliśmy na Mokotowie pałacyk, który zresztą spłonął w powstaniu, ale sam rozumiesz!

Została nianią w domu jednego z wysokich urzędników Ministerstwa Sprawiedliwości. To był wyjątkowy sukinsyn, ale miał miłą żonę, zaprzyjaźniły się. Kiedy Barbara zwierzyła jej się, że marzy o medycynie, tamta jej pomogła. Dostała przydziałowe mieszkanie, właśnie tu, na Nowym Mieście, i stypendium, aby mogła studiować.

W nagłym odruchu pocałowałem ją w rękę.

– Po co to?! – rzekła niemile zaskoczona.

– A tak, z czułości – odparłem.

– Nigdy więcej tego nie rób, nie znoszę!

I to była cała Barbara. Tępiła moje cieplejsze odruchy, jakby w obawie, że ją osłabią, że straci kontrolę nad naszym związkiem. Pomagała innym naprawiać życie, a sama potrzebowała pomocy, z pewnością nie zgodziłaby się z taką moją diagnozą, mimo że wiadomo, iż szewc bez butów chodzi.

Powinienem dodać, że to były już czasy, kiedy partia, z którą związał się Feliks, wygrała wybory. Co prawda niewielką przewagą głosów, ale powstał rząd mniejszościowy, a mój przyjaciel otrzymał stanowisko dyrektora do spraw szkolnictwa wyższego w Ministerstwie Oświaty. Ale już w czerwcu następnego roku rząd upadł, a partia małego człowieczka przeszła do opozycji. Feliks stracił stanowisko, dołączył do „swoich" i w styczniu dziewięćdziesiątego trzeciego brał udział w marszu na Belweder przeciwko prezydentowi Wałęsie. Oskarżano go o współpracę z peerelowskimi służbami, niesiono hasła typu „Bolek do Tworek", palono jego kukłę. Nie byłem zwolennikiem Wałęsy prezydenta, uważałem, że powinien przejść do historii jako trybun ludowy, ale nie znosiłem awanturnictwa, a to tak właśnie wyglądało. W ostrych słowach powiedziałem o tym Feliksowi.

– Nie znasz się na polityce – odparł na to. – Walczymy o to, aby Polska była wolna.

Na wszelki wypadek chciałem się upewnić.

– A twoim zdaniem w czyjej jesteśmy niewoli – jednego z państw ościennych czy może Marsjan?

– Kpij sobie, kpij! – Pokiwał głową. – Ale my swoje wiemy, trzeba oczyścić państwo z komuszego łajna! Wszystko to zdrajcy! Nasz rząd obalono nocą i to była noc długich noży!

Barbara stwierdziła, że Feliks odreagowuje klęskę z czterdziestego czwartego roku, potrzebny mu jest wróg, z którym mógłby wygrać.

– Ale on w tej partii jest najstarszy, reszta to przeważnie powojenna generacja, łącznie z tym ich przywódcą, więc co oni chcą odreagowywać?

– Myślę, że realny socjalizm.

Ale wcześniej, latem dziewięćdziesiątego drugiego roku, wydarzyło się coś znacznie ważniejszego. Przyjechała do Polski na wakacje moja wnuczka Marysia. Ania wyjaśniła przez telefon, że chciałaby przy okazji spotkać się ze swoją babcią, więc zaraz zadzwoniłem z tą nowiną do Zosi.

– Przyjazd Marysi – powiedziałem – to ręka jej mamy wyciągnięta w twoją stronę do zgody.

– Myślę, że to twoja nadinterpretacja, ale cieszę się!

Ustaliliśmy, że część wakacji babcia i wnuczka spędzą na Mazurach w domu Feliksa. Zosia chciała wynająć apartament w jakimś pensjonacie, ale obaj z Feliksem uważaliśmy, że lepszym miejscem na takie pierwsze spotkanie będą spokojne i sielskie Mazury, w tej części nie było takiego najazdu turystów. Barbara też była zdania, że to dobry pomysł.

Miałem z tym pewien kłopot, bo zanim one wyjechałyby do domku Feliksa, Zosia musiałaby przenocować w Warszawie. Stwierdziła, że po latach życia w hotelach nie znosi ich, spytała zatem, czy mogłaby się zatrzymać u mnie. Nie miałem innego wyjścia, jak tylko wyrazić zgodę, ale nie wiedziałem, jak się do tego odniesie Barbara. Długo zwlekałem, zanim poruszyłem z nią ten temat.

– A dlaczego miałabym mieć coś przeciw temu? – spytała.

– No... to moja była żona...

– Co z tego? Chyba nie zaprosisz jej do swojego łóżka?

– No nie...

– Więc nie widzę problemu.

Odetchnąłem, ale nie powiem, żebym się tak do końca uspokoił. One powinny się spotkać, przynajmniej tak by wypadało, tylko... Barbara dość obcesowo traktowała ludzi, a Zosia była w nie najlepszej formie. Jak mi się zwierzyła, cierpiała na bezsenność, brała leki psychotropowe, widok innej kobiety u mojego boku na pewno dobrze by na nią nie podziałał. Ale izolowanie Barbary odebrałaby chyba jeszcze gorzej. W końcu poradziłem się samej Basi, co z tym począć.

– Oczywiście, że powinnyśmy się poznać – oświadczyła.

Marysia przylatywała do Warszawy piątego lipca, a Zosia pojawiła się dzień wcześniej. Przyjechała z Berlina samochodem, bo gdyby wnuczka chciała coś zwiedzać, tak byłoby wygodniej.

– Musi zobaczyć Kraków, może Gniezno – wyliczała.

– Myśleliśmy z Feliksem, że pobędziecie trochę na Mazurach, w jego letnim domku. Przyjrzałybyście się sobie, lepiej byście się poznały...

– Ona by się tam zanudziła, mając za towarzystwo starą babę – odrzekła na to.

Zauważyłem, że Zosia boi się zostać sama ze swoją wnuczką, więc już nie naciskałem.

Kiedy się rozlokowała w swoim pokoju, zaprosiłem ją do kuchni na kawę. Siedzieliśmy naprzeciw siebie i ze smutkiem stwierdziłem, że od ostatniego spotkania bardzo się posunęła. Farbowała włosy na jasny blond, ale na skroniach powychodziła siwizna i źle to wyglądało, twarz miała jak napuchniętą, silnie zaznaczały się worki pod oczami.

Zupełnie o siebie nie dba – pomyślałem z czymś w rodzaju wyrzutów sumienia, bo mimo że nie byliśmy razem, pozostał silny sentyment do wspólnych lat, do młodości, i to nas ze sobą wiązało – były częste telefony, wspólnie spędzane święta. Teraz ona zostawała sama.

– Czy... nie miałabyś nic przeciw temu, żebym zaprosił wieczorem moją przyjaciółkę? – spytałem, przełykając ślinę, ze zdenerwowania zaschło mi w ustach.

– Przyjaciółkę? Czy kochankę?

– Kobietę, z którą jestem – odrzekłem sucho.

Już innym tonem zapytała, czy chodzi mi o to, że ona ma wyjść na czas wizyty tej pani.

– Chcę, żebyście się poznały.

– Ale po co?

– Bo tak by wypadało – odrzekłem.

Zosia roześmiała się.

– Wiesz, ja w swoim życiu robiłam głównie rzeczy, których robić nie wypada, więc jeszcze jedna gafa niczego tu nie zmieni.

– Jutro przyjedzie Marysia, ją też poznam z Barbarą, dziwnie będzie wyglądało, że wy się nie znacie.

Zosia zastanawiała się chwilę.

– A czy ta pani Barbara chce się ze mną spotkać?

– Sama to zaproponowała.

Ten wieczór był jednym z trudniejszych w moim życiu. Barbara przyniosła w siatkach zakupy i przygotowała kolację, w tym czasie Zosia nie wychodziła ze swojego pokoju. Zapukałem do niej, kiedy wszystko było gotowe, stół nakryty.

Gdy weszła do kuchni połączonej z jadalnią, był moment konsternacji, bo ja nagle nie wiedziałem, którą z nich pierwszą powinienem przedstawić, aby żadna z nich nie poczuła się urażona. Sytuację opanowała Basia, wyciągając do Zosi rękę.

– Barbara Kośnik.

– Eva Meier.

A na to Basia:

– Wiem, poznałam panią, jestem miłośniczką opery. Zachwyciła mnie pani rolą Alicji Ford w *Falstaffie*, widziałam to przedstawienie parę lat temu w Mediolanie.

– No... to było więcej niż parę lat temu – odrzekła Zosia, mile zaskoczona.

Cały wieczór rozmawiały o operze, o słynnych wykonawcach. Zosia występowała w duecie z kilkoma wielkimi nazwiskami, jak Pavarotti na przykład. Kiedy odprowadzałem Barbarę, wyraziłem swoje zdziwienie, że tak lubi operę. Nic o tym nie mówiła.

– Nie znoszę – odrzekła ze śmiechem. – Uważam, że jest reliktem przeszłości, sztuczność, i tyle.

– Jak to? Przecież oglądałaś *Falstaffa* w Mediolanie!

– Byłam w Mediolanie i owszem, ale głównie chodziłam po sklepach.

– To skąd twoja wiedza o wykonawcach, przedstawieniach?

– Z encyklopedii, po prostu przygotowałam się do spotkania z twoją żoną. Kiedyś musiała być bardzo piękna, a i teraz dobrze się trzyma.

Pozostawiłem to bez komentarza, bo każda obłuda ma swoje granice, ale byłem jej wdzięczny, że ten wieczór można było zaliczyć do udanych i że Zosia nie musiała się czuć skrępowana.

Oboje wyjechaliśmy na lotnisko po Marysię. Wydała mi się wyższa, niż ją zapamiętałem, może w międzyczasie trochę urosła. Miała na sobie sportową kurtkę i dżinsy, na nogach tenisówki. Jedynym jej bagażem okazał się plecak. Była tak samo żywiołowa jak ostatnim razem. Rzuciła mi się na szyję, wycałowała, a potem podobnie się zachowała wobec Zosi.

– Babciu Zosiu, jak ja się cieszę! Wszystko o tobie wiem, wszystko. Jesteś bohaterką! Cieszę się, że mam taką babcię!

– A co o mnie wiesz i od kogo?

– Od dziadka Jurka, wszystko mi opowiedział, jak nosiłaś pod kulami meldunki! I wcale się nie bałaś!

Zosia przeniosła swój zdumiony wzrok na mnie, ale ja zachowałem minę pokerzysty. Marysia chciała natychmiast zwiedzać Warszawę, wyciągnęła nawet mapę, na której zaznaczyła ważne miejsca. Te miejsca oczywiście były związane z powstaniem. Niemal siłą zabraliśmy ją na obiad, usiadła na kanapie obok Zosi i cały czas przytulała się do niej, dotykała jej twarzy, gładziła po ręce. Ja już to przerobiłem w Australii i wiedziałem, że nie jest to objaw choroby sierocej, ale nadmierna uczuciowość. Obawiałem się nawet, że te dowody uwielbienia Zosię w końcu zmęczą, ale o dziwo jakoś dobrze to znosiła. Oczywiście nie było mowy, aby ruszyły się gdzieś z Warszawy, więc w konsekwencji zostawiłem im swoje mieszkanie i przeniosłem się do Barbary. Kiedy po kilku dniach do nich zajrzałem, nie mogłem uwierzyć, że Zosia jest tą samą osobą. Miała inną twarz, inaczej się poruszała, zupełnie jakby ubyło jej kilkanaście lat. Marysia zarządziła, że babcia ma się odmłodzić, poszły więc do butiku i wybrały rzeczy, których przedtem Zosia nigdy by na siebie nie włożyła. Ubierała się w najdroższych magazynach mody, a tu luźne koszule, lniane spodnie, buty ze sznurka.

Barbara przypadkowo zaobserwowała je na ulicy, szły objęte, coś sobie opowiadając, chichotały przy tym jak nastolatki.

– Nie wiem, co będzie, gdy Marysia wyjedzie – zacząłem się martwić. – Zosia odczuje jeszcze gorszą pustkę.

– Twoja szklanka zawsze jest do połowy pusta, a moja pełna, i tym się różnimy. Ja uważam, że lepiej stać się nie mogło – odpowiedziała.

Oby było tak, jak mówisz, myślałem. A babcia i wnuczka nadal buszowały po Warszawie, przeszły piechotą trasę ze Starego Miasta do Śródmieścia, którą Zosia poruszała się jako łączniczka, Marysia wszystko to obfotografowywała, wyjście z kanałów na Wareckiej, miejsce w Alejach, gdzie była słynna brama, tak zwany przeskok – teraz stoi tam dom towarowy – odbudowany budynek BGK, z którego dachu do Zosi strzelano. Marysia poprosiła też, abym zrobił im zdjęcie przy Małym Powstańcu. Usiadły na ziemi, przytulone głowami, a nad nimi górował pomnik chłopca w za dużym hełmie przepasanym biało-czerwoną opaską.

Mimo upałów cały miesiąc spędziły w murach miasta. Co prawda oprócz tych wędrówek poznawczo-historycznych chodziły też do Łazienek na lody albo nad Wisłę, gdzie jak reszta warszawiaków, którzy nie mieli urlopu, zażywały kąpieli słonecznych, w związku z czym Marysi wyszły na nos i policzki liczne piegi i wyglądała jak bohaterka książek dla dzieci, Pippi Langstrumpf.

– Jak dziwnie, że tutaj wszyscy mówią po polsku – powiedziała, kiedy ją spytałem o wrażenia.

Potem już się niczemu nie dziwiła, wsiąkła w to miasto, zresztą razem ze swoją babcią, która niewątpliwie przeżywała drugą młodość.

Niestety musiało też nastąpić pożegnanie. Już na lotnisku Marysia powiedziała mi, że ustaliły, iż babcia przeniesie się do Warszawy na stałe, kiedy ona przyjedzie tu na studia. Będą mieszkały razem.

– Tak? A rodzice wiedzą o tych planach? – spytałem.

– Jako osoba pełnoletnia nie będę musiała ich pytać o zgodę!

Wziąłem to za fanaberię podlotka, ale jakiś czas później tak się właśnie stało. Marysia co roku spędzała z babcią letnie wakacje, a kiedy zdała na Akademię Sztuk Pięknych w Warszawie, Zosia sprzedała willę w Berlinie i kupiła dom w Podkowie Leśnej. Do tej pory mieszkają tam razem.

Kiedy wracaliśmy z lotniska, Zosia była milcząca, a ja wolałem o nic jej nie pytać. Od razu poszła do swojego pokoju, a rano już wybierała się w podróż do Berlina. Zniosłem jej bagaże do samochodu.

– Dziękuję – powiedziała nieoczekiwanie, żegnając się ze mną.

– Za co?

– Wiem, że to dzięki tobie mam wnuczkę.

We wrześniu tysiąc dziewięćset dziewięćdziesiątego trzeciego roku partia Feliksa nie przekroczyła progu wyborczego, więc wraz z innymi jej członkami mój przyjaciel przeszedł do opozycji pozaparlamentarnej.

– Może w ogóle dałbyś sobie spokój z tymi politycznymi przepychankami – zaproponowałem. – Nie wolisz siedzieć sobie na Mazurach i łowić ryby z pomostu? O wiele milsze zajęcie.

Ale przyjaciel nie dał się przekonać, z zaciętą miną oświadczył:

– Jeszcze nie powiedzieliśmy ostatniego słowa.

Barbara była zdania, że nie powinienem go od tego odwodzić, bo Feliks należy do tego typu osób, które muszą mieć cel, a teraz dla niego tym celem była działalność partyjna.

– Ale dlaczego on się wiąże z ludźmi, którzy zamiast budować, chcą wszystko niszczyć! Gdyby przywrócono liberum veto, sparaliżowaliby Sejm, a może i całą Polskę.

– Są potrzebni – odpowiedziała. – To takie mrówki, które wyjadają chore tkanki, dzięki temu powstaje równowaga.

– No pięknie, Feliks w grupie padlinożerców! – odpowiedziałem.

Pod koniec września przyjechał ze Stanów młodszy syn Barbary, Andrzej. Chciałem się na ten czas usunąć w cień, ale ona się sprzeciwiła.

– Naprawdę nie mamy nic do ukrycia – powiedziała. – Dobrze się prezentujesz, więc nie będę się ciebie wstydziła.

– Ale nie mam pojęcia o medycynie nuklearnej, o czym będziemy rozmawiali?

– Znajdziemy jakiś temat – odparła ta wieczna optymistka.

Syn Barbary wyglądał tak, jak powinien wyglądać młody zdolny konstruktor – elegancko ubrany, bardzo grzeczny, wypowiadający się okrągłymi zdaniami, bez cienia wątpliwości, że może nie mieć racji. Nie byłem w stanie tego ocenić, bo nie miałem pojęcia, o czym on mówi, ale uśmiechałem się i kiwałem potakująco głową. Barbara przyglądała mi się spod oka, a jej uśmieszek mówił bardzo wiele.

– Ależ ty jesteś! – stwierdziła potem. – Zamiast powiedzieć: „Przestań pieprzyć, synku, bo nic z tego nie rozumiem”, siedziałeś jak Piekarski na mękach i w dodatku szczerzyłeś do niego zęby!

– A jak się miałem zachować, przecież to twój syn!

– Naturalnie! Miałeś się zachować naturalnie! A syn jest mój, ja go urodziłam, nie wypieram się, ale wychowywał się z ojcem i niestety to widać!

– Mówisz o nim tak zimno. Nie kochasz swoich synów?

– Kocham, ale inaczej pojmuję miłość do dzieci. Mądra matka nie jest od tego, aby gładzić swoje dziecko po główce, ale wskazać mu wartości, jakim powinno być wierne. Dla mnie to jest przede wszystkim uczciwość wobec siebie i wobec innych ludzi.

– A twoi synowie nie są uczciwi?

– Nie patrzą dalej niż czubek swojego nosa, o czym się miałeś okazję przekonać. Dla nich liczy się tylko kariera, to jest to magiczne zaklęcie: Sezamie, otwórz się!

– Chyba jesteś jednak za surowa.

– Bardzo możliwe, ale już się nie zmienię, oni niestety też nie.

Trochę przestałem się dziwić, że dzieci Barbary nie utrzymują z nią bliższych stosunków, mnie też czegoś brakowało w naszym związku. Ona z pewnością nie gładziła mnie po główce, nie tolerowała też słabości, denerwowały ją te wszystkie moje rozterki i niepokój o bliskich.

– Pamiętaj – mówiła – brak wiadomości to dobra wiadomość, te złe docierają lotem błyskawicy!

I ta zła niestety nadeszła. W październiku umarła Jane. Zawiadomił mnie o tym Adam, jej syn. Na pogrzeb nie pojechałem, ale okazało się, że Olo kompletnie się załamał, po pogrzebie zabarykadował się na górze w ich posiadłości, pił i posyłał pracowników fundacji po kolejne butelki whisky, kiedy odmawiali, straszył ich bronią. Adam poprosił więc, abym przyjechał do Kenii, bo jego zdaniem byłem jedyną osobą, której Olo mógłby posłuchać. Pojechaliśmy tam oboje z Barbarą, bo uważała, że jako lekarz może się przydać. I jak zwykle miała rację, gdyż Olo mnie też nie chciał wpuścić, a kiedy nalegałem, przestrzelił drzwi. Syn Jane był zdania, że należy zawiadomić policję, zanim stanie się nieszczęście i on kogoś zabije. Barbara jednak zażądała klucza do sypialni Ola i mimo naszych protestów weszła na górę. Staliśmy z Adamem u podnóża schodów wpatrzeni w drzwi, za którymi zniknęła. Trwało to dosyć długo, ale ponieważ nie dochodziły stamtąd żadne odgłosy, nie interweniowaliśmy. W końcu mnie zawołała.

Olo siedział na łóżku w wymiętym ubraniu, miał opuchniętą, silnie zaczerwienioną twarz, oczy ginęły pod grubą fałdą, więc nie byłem pewien, czy on mnie w ogóle widzi.

– Cześć, stary byku! – wypowiedziałem hasło, które zawsze działało, a on zrobił ruch ręką, abym się przybliżył, po czym wtulił się w moje ramię.

Barbara wyszła, zostawiając nas samych.

– Nie chcę i nie umiem bez niej żyć! – szlochał. – Chcę do niej dołączyć!

– Ale ona by tego nie chciała, prosiła, abym się tobą zaopiekował, kiedy odejdzie. Abym zabrał cię do Warszawy. Kupiła tam nawet dla ciebie mieszkanie!

Odchylił się i spojrzał na mnie.

– Moja Jane kupiła dla mnie mieszkanie w Warszawie? Jakie mieszkanie?

– Numer siedem!

– Numer siedem – powtórzył. – Nasze mieszkanie na Rozbrat!

– Właśnie, teraz należy do ciebie. Kiedy otworzą testament, przekonasz się, że Jane je dla ciebie odkupiła.

Olo długo nic nie mówił, a potem nagle upadł plecami na łóżko. Wyglądał jak martwy, więc wpadłem w panikę i zawołałem Barbarę. Przyjrzała mu się i oznajmiła:

– On śpi!

– Jak to śpi?

– Zwyczajnie. Pił, nie spał od tygodnia, więc teraz śpi.

– Tak nagle?

Wzruszyła ramionami.

– Może twoja obecność tak na niego podziałała, poczuł się bezpiecznie, więc zasnął.

Spał dwie doby, toteż ona skorzystała z okazji i podłączyła mu kroplówkę, ja w tym czasie pojechałem z Adamem do Nairobi, gdzie na tamtejszym cmentarzu Jane została pochowana obok swojego pierwszego męża. Pomnik dłuta znanego artysty rzeźbiarza przedstawiał kobietę i mężczyznę, którzy ponad swoimi głowami trzymają kulę ziemską. Jeśli rzeźba przedstawiała małżonków Bogartów, a na to wyglądało, to pan profesor zmęczył się pewnie, samotnie podpierając nasz glob, teraz Jane mu pomoże.

Kiedy zobaczyłem wyrytą w kamieniu jej datę urodzenia, byłem zaskoczony, nigdy bym nie przypuszczał, że od naszej trójki była starsza o całe jedenaście lat. Ona, tak pełna życia, pamiętam ją zawsze uśmiechniętą.

Olo nieustannie spał, więc pracownik fundacji oprowadził nas po tym parku-szpitalu dla chorych i porzuconych zwierząt. Teren obejmował dobrych kilka hektarów, więc można było się zmęczyć, obchodząc go dokoła. Wydawało się, że wszystko działa jak w szwajcarskim zegarku, część zwierząt była zamknięta w klatkach, część żyła na wolności. W pewnej chwili z drzewa skoczyła na moje ramię małpka kapucynka, po czym zaczęła bardzo fachowo przeczesywać mi włosy przednimi łapkami.

– Co ona robi? – spytałem przewodnika.

Wyjaśnił, że w dowód sympatii postanowiła uwolnić mnie od wszy.

Olo zaczął się wybudzać, więc szybko mnie zawołano. Otworzył oczy, zobaczył mnie i chciał coś powiedzieć, ale przychodziło mu to z trudem. Pochyliłem się nad nim.

– Wiesz, że ona...

– Wiem.

Po paru dniach mój przyjaciel na tyle doszedł do siebie, że mógł razem z Adamem stawić się u notariusza, gdzie został odczytany testament Jane. Podzieliła swój majątek na trzy równe części, pomiędzy syna, Ola i fundację. Adam zrzekł się swojego udziału na rzecz fundacji, tak ustalili wspólnie z Anią, podobnie uczynił również Olo, który zresztą posiadał swój znaczny majątek. Kiedy tylko dowiedział się, że Jane zapisała mu warszawskie mieszkanie, był wstrząśnięty, sądził, że mu się to wcześniej jedynie przyśniło.

– Ty mi o tym powiedziałeś? – dziwił się. – Nie pamiętam...

Chciałem, aby poleciał z nami do Polski, ale stwierdził, że musi jeszcze zostać i pozamykać swoje sprawy.

– Więc kiedy mamy się ciebie spodziewać? – naciskałem.

– Trudno powiedzieć, zawiadomię cię. Tak się boisz latać, że zabrałeś ze sobą lekarkę?

– To moja dobra przyjaciółka – odrzekłem.

Barbara była jak nigdy małomówna, ale obserwowała mojego przyjaciela i w końcu powiedziała do mnie:

– Kiedy wyjedziemy, on znowu zacznie pić.

– Wydaje mi się, że doszedł do siebie, cieszy się, że ma to mieszkanie.

– Powinien z nami wrócić – upierała się przy swoim.

– Przecież go nie zwiążemy!

– Ale może jednak uda ci się go namówić.

– A może ty spróbujesz, zaraz po przyjeździe udało ci się do niego trafić, gdy nawet mnie nie chciał widzieć, swojego przyjaciela...

– Był zamroczony, łatwo kogoś takiego przekonać. Powtarzałam mu: „Zaraz przyjdzie do ciebie przyjaciel" i kiedy ty wszedłeś, uznał, że tak właśnie miało być. Miał przyjść przyjaciel i przyszedł.

Nie chciałem jednak wywierać na niego presji. Olo był w głębokiej żałobie i należało mu na to pozwolić. Widocznie potrzebował samotności. Ale jak zwykle Barbara miała rację, gdyż po naszym powrocie do Warszawy zadzwoniła do mnie szefowa fundacji z wiadomością, że nie jest z nim dobrze. Siedzi sam na górze i pije, co prawda nie zachowuje się już tak agresywnie.

– Namawiajcie go, aby przyleciał do Polski.

– On sam nigdy się stąd nie ruszy – usłyszałem.

Nie było wyjścia, trzy tygodnie po powrocie z Kenii znowu musiałem tam pojechać, Olo był rzeczywiście w kiepskiej formie. Patrzył na mnie tępym wzrokiem.

– Co się dzieje, przyjacielu, inaczej się umawialiśmy – zacząłem.

– Nie mogę wrócić do Warszawy, dopóki stoi tam symbol sowieckiej niewoli!

– Jaki symbol? – W pierwszej chwili nie zrozumiałem.

– To gówno ruskie z iglicą!

– Co ci przeszkadza, to tylko brzydka budowla.

– A co zrobili nasi ojcowie po odzyskaniu niepodległości? Wysadzili w powietrze cerkiew na placu Saskim!

– Zniszczenie soboru Świętego Aleksandra Newskiego, wspaniałego zabytku, mój ojciec architekt uznał za barbarzyństwo! – powiedziałem. – A wiesz, co obwieściła nasza przedwojenna gosposia? Że za zburzenie domu Boskiego będzie straszna kara, niedługo się będziemy cieszyć wolnością!

– Ale ten śmieć w sercu Warszawy nie jest ani świątynią, ani zabytkiem, a wy go tolerujecie.

– „Wy"? A kim ty jesteś, Szwedem czy Anglikiem? Przyjedź, podłóż ładunki, ja ci pomogę.

Olo przyjrzał mi się uważnie.

– Mówisz serio?

– Jasne, ty nie masz nic do stracenia, ja też nie. Jesteśmy już starzy, jak nas nawet wsadzą, długo nie posiedzimy.

W oczach Ola dojrzałem pewną chytrość.

– Zrobimy to tak, że nas nie złapią.

– No to co, wracamy do Warszawy?

I na to on:

– Wracamy.

Mieszkanie przy Rozbrat było puste i wymagało remontu, Olo zamieszkał więc chwilowo u mnie, poza tym nie był jeszcze zdolny do jakiegokolwiek działania. Sprawami remontu zajęła się więc Barbara i byłem jej za to bardzo wdzięczny. Chodziliśmy we dwoje po sklepach z antykami, wyszukując potrzebne meble, były piękne, ale większość z nich wymagała renowacji. Barbara dała do uszycia jedwabne zasłony i naprawdę powstał klimat dawnego mieszkania rodziców Olka, a o to nam przecież chodziło. Nadszedł wzruszający moment, kiedy mógł się tam wreszcie wprowadzić. Moja przyjaciółka przygotowała kolację i doszło między nimi do zawieszenia broni, bo w czasie tych wszystkich prac nie obyło się bez napięć. Olek prawie nie wychodził z domu, popijał whisky, a kiedy ja wracałem z pracy, siłą rzeczy przyłączałem się do niego. Nie można było mówić o jakimś pijaństwie, ale często bywaliśmy na rauszu, a Barbara tego nie znosiła. Kiedyś w ostrych słowach zwróciła się do niego:

– Bardzo proszę, Olo, abyś nie rozpijał Jurka. Jeśli naprawdę musisz, pij sam.

– Jurek jest chyba pełnoletni – odrzekł na to.

– Wątpię, czy wy obaj kiedykolwiek będziecie pełnoletni!

Na to on spojrzał na mnie i wycedził:

– Możesz mi powiedzieć, co ta obca osoba robi w twoim domu?

Barbara trzasnęła drzwiami i wyszła.

– I świetnie – skomentował to mój przyjaciel. – Nikt nam nie będzie brzęczał nad uchem.

Normalnie bym na takie jego chamskie zachowanie zareagował, ale wolałem już to niż jego gadanie o wysadzaniu w powietrze Pałacu Kultury. Następnego dnia pogodzili się zresztą, bo Barbara przyniosła mu do podpisania umowę z elektrowni.

Olek postawił jakiś zawijas, a potem rzekł, nie patrząc na nią:

– Jeśli ci to sprawi przyjemność, trzaśnij mnie w pysk, zasłużyłem.

– Nie mam zwyczaju nikogo bić – odrzekła. – Ale przeprosiny przyjmuję.

– A kto tu mówi o przeprosinach! – Zmarszczył groźnie brwi, ale zaraz się roześmiał. – Żartowałem!

Feliks przychodził dosyć rzadko, bo mimo że nie był już senatorem, jego pokonana partia zwierała szeregi. Próbował nawet zaagitować Ola, ale ten się nie dawał.

– Nie przegłosowaliście w Sejmie decyzji o usunięciu z placu Defilad budowli zadedykowanej Stalinowi, to ja mam was w głębokim poważaniu!

Od jakiegoś czasu Olo rzadko się odzywał, a kiedy ja dzwoniłem, szybko kończył rozmowę, tłumacząc, że jest zajęty. Co on sobie wynalazł, zachodziłem w głowę. Wyjaśniło się, kiedy wpadłem do niego niby przypadkiem, bo przestał mnie zapraszać. Był trzeźwy, czymś bardzo zaaferowany. Próbowałem go podpytać. Spojrzał mi prosto w oczy i powiedział:

– Pamiętasz, co mi w Afryce obiecałeś?

Dreszcz przebiegł mi po krzyżu, bo już wiedziałem, o czym mowa.

– Jeśli przysięgniesz, że to zostanie między nami, coś ci pokażę.

I pokazał mi bombę własnej konstrukcji, którą trzymał w garderobie. Na widok mojej miny rzekł uspokajająco:

– Nie bój się, nie ma zapalnika. Obliczyłem, że aby wysadzić w powietrze tego kolosa, potrzebne są cztery takie.

– Ale jak ty to sobie wyobrażasz? Mogą zginąć ludzie!

– Ładunki trzeba podłożyć nocą, a dokoła jest wystarczająco dużo miejsca, aby inne budynki nie uległy uszkodzeniu.

Przerażony nie na żarty, opowiedziałem o tym Barbarze.

– Nie wiem, jak go powstrzymać – zakończyłem.

– Ale ja wiem – odrzekła. – Tu potrzebna jest kobieta.

– Jak to kobieta?

– Zwyczajnie. Młoda, ładna dziewczyna, która by mu wybiła z głowy całą tę pirotechnikę.

– On był bardzo zakochany w Jane, nie spojrzy na inną – powiedziałem.

– Zobaczymy!

I zorganizowała małe przyjęcie, na które został zaproszony Olo i koleżanka Basi z pracy.

– Też jest seksuologiem? – spytałem ostrożnie.

– Pediatrą.

– O, to ktoś dla niego, bo on zachowuje się jak dziecko.

– I ja tak myślę. – Barbara roześmiała się.

Jej koleżanka, młodsza od mojej córki, była, trzeba przyznać, bardzo efektowna. Blondynka, miała na sobie bluzkę z dekoltem i spódniczkę przed kolana.

No dobrze, ale co dalej – myślałem. Olek nawet na nią nie spojrzy, nie lubi tego typu kobiet, uzna poza tym, że jest dla niej za stary.

Spóźnił się jak zwykle, ale przyszedł z kwiatami dla obu pań.

Początkowo rozmowa się nie kleiła, Olo i pani pediatra widocznie się obwąchiwali, ale na szczęście, wbrew stereotypom, ona okazała się inteligentną, dowcipną osobą. W każdym razie wyszli razem.

– I co dalej? – powtórzyłem to pytanie.

– Nie wiem, co dalej – odrzekła Barbara. – Okaże się. Albo pójdą z miejsca do łóżka, albo będą prowadzili jakąś grę, albo więcej się nie spotkają.

– Obstawiam trzeci wariant – rzekłem.

– A ja pierwszy – odparła. – Twój przyjaciel patrzył na nią okiem wygłodzonego samca.

– Jeszcze ona ma tu coś do powiedzenia.

– Ona jest jak najbardziej chętna, wiedziałam to od pierwszej chwili, kiedy sznurując usta, powiedziała: „Miło mi pana poznać, panie doktorze".

– Macie jakiś wspólny kod?

Barbara roześmiała się.

– Nie bój się, nie prowadzę domu schadzek. Alert w sprawie Olka to na mnie wymógł.

Niemożliwie stało się możliwe, Olo zaczął spotykać się z panią doktor, miała na imię Teresa i była rozwódką z dwuletnim synkiem. Początkowo ukrywał to, na moje pytania odpowiadał półgębkiem:

– Tak, widzieliśmy się kilka razy...

Ale kiedy spotkałem ich przypadkiem na spacerze na Starym Mieście, a on niósł na barana jej synka, już się nie wypierał, że poważnie myślą o tym, aby zamieszkać razem.

– Jest ode mnie młodsza trzydzieści parę lat. Nie uważasz, że to trochę za duża różnica wieku?

– Jeśli się rozumiecie, kochacie, to wiek nie ma tu nic do rzeczy.

Bardzo ucieszyła go moja odpowiedź, a ja pomyślałem, że wszystko jest dobre, co odciąga Olka od *idée fixe* zburzenia Pałacu Kultury. Prawdę mówiąc, nie wróżyłem temu związkowi przetrwania, a są już ze sobą kilka lat i wyglądają na szczęśliwych. Olo okazał się dobrym ojcem dla synka Teresy.

Mój związek „na przychodne" z Barbarą trwa nadal i nic nie stracił ze swojej intensywności. Może właśnie dlatego, że nie zgodziła się na moją propozycję wspólnego zamieszkania. Powiedziała, że lubi na mnie czekać.

– Mogłabyś na mnie czekać także w naszym domu – stwierdziłem.

– To nie to samo.

Latem dwutysięcznego roku odbyliśmy z Barbarą podróż do Australii. Muszę przyznać, że trochę się tego spotkania z moją rodziną obawiałem, właśnie przez tę bezkompromisowość Barbary, zawsze mówiła to, co myśli, nie przebierając w słowach. Obawiałem się, że z miejsca zaatakuje Anię za jej zły stosunek do matki. Ale od razu przypadły sobie do gustu, a Basia nawet przy jakiejś okazji stwierdziła, że bardzo żałuje, że nie ma córki. Z synami to tak jest, zobaczą jakąś spódniczkę i zapominają o bożym świecie. Córki są wierne...

– Nie zawsze – odrzekła na to Ania. – Naszą córkę, jak wiesz, wywiało do Europy, a synowie trzymają się mojej spódnicy aż za bardzo.

Właśnie, synowie Ani, pamiętałem ich jako małych jeszcze chłopców, najmłodszy Felek miał zaledwie trzy miesiące. Przy powitaniu pomyliłem go ze średnim Olkiem, bo wydawało mi się, że nie mógł tak szybko urosnąć, a minęło już przecież parę ładnych lat. Najstarszy z tej trójki, Jerzyk, mój imiennik, wybierał się na studia, tak jak ojciec chciał zostać leśnikiem, nawet pomagał tacie w czasie wakacji. Musiał się schylić, chcąc cmoknąć mnie w policzek, bo przerósł mnie o głowę.

– Tradycji stało się zadość – śmiała się Ania. – Trzej Muszkieterowie znowu są gotowi do boju!

– Oby nie! – odrzekłem.

– Tato, to byłyby już gwiezdne wojny, nie na szpady, ale na technologie. Kto pierwszy, ten lepszy! – na to Ania.

Ona jedna się nie zmieniła, przy tej czwórce dryblasów wyglądała tylko bardziej krucho, za to Adam wyraźnie się posunął, kiedyś kruczoczarną brodę miał gęsto poprzetykaną siwizną. Być może to dziedziczne, podobno kiedy Olo poznał Jane, była już całkiem siwa, a nie dobiegała jeszcze pięćdziesiątki.

Przy pożegnaniu Ania powiedziała:

– Cieszę się, tatku, że nie siedzisz sam na tym swoim bocianim gnieździe. Masz naprawdę fantastyczną partnerkę, a ja mniejsze wyrzuty sumienia, że nie ma mnie z tobą na co dzień!

– Chcesz może coś przekazać Marysi?

– Żeby nie zapomniała, że ma matkę. Dzwoni raz na miesiąc, i to jak z łaski!

– A ty swojej mamie nie masz nic do powiedzenia?

– Nie zaczynaj, tato – odrzekła twardo. – Musi jej wystarczyć, że zatrzymała przy sobie moje dziecko! Marysia miała wrócić po studiach do domu!

– To była jej decyzja, nikt na nią nie naciskał – zaoponowałem. – W Polsce nawiązała trwałe przyjaźnie, znalazła dobrą pracę. Mimo młodego wieku jest cenionym konserwatorem. Czuje się spełniona i szczęśliwa.

Ania już się nie odezwała.

W samolocie rozmawialiśmy z Barbarą o tym dziwnym uporze, z jakim Ania odrzucała propozycje pogodzenia się z matką. Nic nie dawały perswazje z mojej strony, ze strony Olka, a dawniej nawet Jane, z której zdaniem moja córka bardzo się liczyła.

– To mi wygląda na zespół szoku pourazowego, który nieleczony może trwać latami, czasami nawet do śmierci – powiedziała Barbara.

– A kiedy ona miała się leczyć, niedługo po opuszczeniu więzienia związała się z Adamem, a potem zaraz dzieci, jedno po drugim... Miałem nadzieję, że życie rodzinne coś w niej odmieni i przestanie tak surowo ocieniać swoją matkę.

– Nasz mózg to ciągle wielka niewiadoma, tak naprawdę nie wiadomo, co okaże się lekarstwem, ale jak dotąd nic lepszego niż długotrwała terapia nie wynaleziono.

– To szkoda, że nie porozmawiałaś o tym z Anią – odrzekłem zmartwiony.

Barbara pokręciła głową.

– Ona musi sama do tego dojrzeć.

Po powrocie do Warszawy Zosia i Marysia zaprosiły nas do Podkowy na niedzielny obiad, ale Barbara źle się czuła i w końcu poszedłem sam. Zastałem je w ogrodzie za domem. Siedziały na leżakach pod parasolem, Zosia trzymała na kolanach małego pieska, wokół kwitły krzewy, przeróżne ich odmiany. Ogród był utrzymany w idealnym stanie, jak to określiła Marysia: był oczkiem w głowie babci. Zosia godzinami potrafiła dłubać w ziemi.

Obiad zjedliśmy na powietrzu w atmosferze sielanki, obie coś mówiły, śmiały się głośno. Jeżeli chodzi o Zosię, ta jej wesołość wydawała mi się aż nienaturalna, ale wiedziałem, z czego to wynika. Bała się, że zacznę opowiadać o życiu córki, do którego od wielu lat nie miała wstępu.

W dwa tysiące pierwszym roku wydarzyły się dwie katastrofy. Pierwsza to atak na World Trade Center, w której zginęło wielu ludzi, a druga to powstanie nowej partii o nazwie Prawo i Sprawiedliwość, na czele z człowiekiem, którego Feliks uważał za geniusza. Po przegranych przez Porozumienie Centrum wyborach trwał przy jego boku, więc zupełnie naturalne, że teraz znalazł się we władzach nowej formacji.

– Ja ci mogę powiedzieć w ciemno, jaka to będzie partia – rzekłem.

– No słucham – odparł. – Skoro jesteś takim jasnowidzem...

– Nawet jeśli udałoby się wam odzyskać władzę, to będzie to trwało bardzo krótko, a po sobie zostawicie popioły i zgliszcza jak poprzednio! A poza tym przeczytałem na ulotce twój życiorys i chciałbym cię zapytać, kiedy to walczyłeś z Sowietami? O ile wiem, w powstaniu warszawskim oprócz nas udział brali Niemcy.

– Ale... Sowieci stali na Pradze!

– A wystrzeliłeś chociaż jeden nabój w ich kierunku?

Feliks wzruszył ramionami.

– Strasznie się zrobiłeś na starość upierdliwy. Na Boga, przecież nie mogłem strzelać, bo tam byli też Polacy!

– No świetnie, tyle że napisałeś nieprawdę.

Feliks niecierpliwie poruszył się na krześle.

– Jakby politycy mówili i pisali tylko prawdę, nikt by na nich nie głosował!

– No to dziękuję, nie mam więcej pytań.

Można chyba byłoby powiedzieć, że większe burze w życiu moim i moich bliskich były już poza mną, gdyby nie telefon wczesnym rankiem na początku września dwa tysiące drugiego roku.

– Ania jest w drodze do Frankfurtu nad Menem – zakomunikował mi Adam.

– Dlaczego nie leci przez Londyn? – spytałem, czując, jak cała krew odpływa mi w nogi.

– Bo leci do Niemiec, jutro jest pogrzeb mózgu Ulrike Meinhof. Ania i Regine chcą na nim być.

– Jak to pogrzeb mózgu?

– Druga córka, ta dziennikarka, wyśledziła, że ich matce wyjęto mózg do badań i przez wiele lat przechowywano w słoju w laboratorium, co było absolutnym bezprawiem!

– No to ta Regine mogła polecieć, ale dla Ani to bardzo niebezpieczne! Po ataku terrorystycznym w Nowym Jorku wszędzie na lotniskach są obostrzenia, a Niemcy mają jej rysopis i odciski palców, mogą ją z miejsca aresztować!

– Ona o tym wie, ryzykuje. Powiedziała, że jest to winna Ulrike.

– I ty się na to zgodziłeś?

– Spróbowałbyś powstrzymać swoją córkę!

To, co usłyszałem, brzmiało jak horror, tyle że to nie był film, ale działo się naprawdę. Natychmiast zwołałem wszystkich: Zosię, Marysię, Olka, Feliksa i Barbarę. Spotkaliśmy się u mnie, aby się naradzić, co robić w tej sytuacji.

– Ona jest już w powietrzu i za dziesięć godzin wyląduje we Frankfurcie, możemy się tylko modlić – powiedział Feliks.

– Może bez paniki, dobrze? – odezwał się na to Olo. – We Frankfurcie wyląduje Anna Bogart, obywatelka Australii, mogą więc ją najwyżej zapytać, czy jest spokrewniona z Humphreyem.

– Jeśli nawet miałbyś rację – powiedziałem – to przecież potem pojedzie do Berlina na pogrzeb, a na pewno nie obędzie się, jak za pierwszym razem, bez jakichś manifestacji. Skończy się na tym, że aresztują wszystkich i Ania wpadnie przypadkiem...

– Myślę, że żałobniczkami będą tylko córki Meinhof i wasza córka – wtrąciła Barbara. – Nikt już nie pamięta o Frakcji Czerwonej Armii, zresztą ta oficjalnie ogłosiła złożenie broni. Teraz oczy świata zwrócone są na muzułmanów.

– Nasza mała chyba na to liczy – stwierdził Feliks.

– Też tak sądzę – odparła Barbara. – Ale uważam, że ktoś z was powinien tam pojechać i kontrolować sytuację, aby wiadomo było, co się dzieje.

– To jednak bierzesz pod uwagę jej zatrzymanie! – powiedziałem zgnębiony.

– Prawdopodobieństwo jest niewielkie, ale wszystko należy brać pod uwagę.

– Więc niech jedzie Olo swoim mustangiem – zawyrokował Feliks. – Zawiezie ją z Frankfurtu do tego Berlina, aby jak najmniej rzucała się w oczy, a potem wsadzi w samolot do Melbourne i jego misja będzie skończona.

– Dziękuję, że mi tak precyzyjnie wytyczyłeś trasę – odciął się Olek.

– A kto inny miałby jechać? Jurek nie prowadzi samochodu, ja jestem inwalidą wojennym, nie nadaję się na długie trasy.

– Przecież mogę pojechać pociągiem, czasu jest dość! – rzekłem.

Olo od razu zareagował.

– No co ty, stary, oczywiście pojadę, nie lubię tylko, jak ktoś usiłuje myśleć za mnie!

– Przecież to oczywista oczywistość – odpowiedział Feliks. – Jeden za wszystkich, wszyscy za jednego!

– Wujku, ja zabiorę się z tobą – zaproponowała Marysia. – Będzie ci raźniej, no i zobaczę się z mamą!

– Dzięki za dobre chęci, ale nie zabieram pasażerów w podróż, która może nie skończyć się happy endem.

Pojechał. Czekaliśmy niecierpliwie na wiadomości, chyba po raz pierwszy pogodziłem się z urządzeniem zwanym komórką, wszyscy moi bliscy zaopatrzyli się w ten telefon, poza mną, gdyż uważałem, że ogranicza moją wolność osobistą. Teraz mogliśmy monitorować na bieżąco, co się dzieje. Olo spotkał Anię na lotnisku, przeżył ciężkie chwile, bo pasażerowie wychodzili i wychodzili, a jej nie było. Potem przez dłuższy czas nikt się nie pojawiał, więc biedny przyjaciel sądził, że stało się najgorsze. Ale za chwilę ją zobaczył, po prostu wyniknął jakiś problem z bagażem. Ania na jego widok zaniemówiła, ale w końcu obie z tą Regine przystały, aby pełnił funkcję ich szofera. Tak jak przewidziała Barbara, na cmentarzu Marienhof były tylko trzy kobiety, no i on, siłą rzeczy. Odbyła się cicha ceremonia, mózg Ulrike Meinhof powrócił do jej ciała.

Komentarz mojego przyjaciela był taki:

– Gdyby jeszcze wczoraj ktoś mi powiedział, że będę uczestniczył w pogrzebie najsławniejszej terrorystki dwudziestego wieku, pomyślałbym, że zwariował!

Córka Meinhof chciała zostać w Niemczech jeszcze parę dni, więc Ania zdecydowała, że zabierze się z Olem do Warszawy. Ostatni komunikat, jaki od niego otrzymałem, brzmiał:

– Wyruszamy!

Zadzwoniłem do Zosi i poprosiłem, aby przyjechała na Krakowskie Przedmieście.

– Razem przywitamy naszą córkę!

Cisza w słuchawce.

– Dotarło do ciebie, co powiedziałem?

– Tak, ale ona... czy ona...

– Druga taka okazja nieprędko się trafi, a może nigdy!

– Jeśli ona wyrazi zgodę...

– Nie będę jej pytał! – wybuchłem. – Jestem starym człowiekiem, niedużo mi już zostało, chcę, abyście się jeszcze za mojego życia spotkały i pogodziły!

I Zosia przyjechała, była tak zdenerwowana, że niemal nie rozumiała, co do niej mówię, siedzieliśmy więc w milczeniu. Nie wiem, o czym myślała, ja myślałem, że od przekleństwa polskości nie da się uciec. Nie udało się jej, mimo że włożyła w to wiele trudu, zmieniając nazwisko, zatajając przed córką jej pochodzenie, wszystko po to, aby mogły normalnie żyć. Teraz po latach przekonała się, że jeśli ktoś się urodził nad Wisłą, nigdy od tego nie ucieknie, wraca więc do swojego rodowego nazwiska, sprawa jest w toku. Nasza córka odbudowała swoją narodową tożsamość poprzez język, nikt jej do tego nie zmuszał, zadziałały geny. Aleksander Zanecki, żołnierz AK, tułacz, zaprzysiągł sobie, że już tu nigdy nie powróci, a jednak jego polski los postanowił inaczej...

Odezwał się dzwonek domofonu, podniosłem więc słuchawkę i usłyszałem głos Ola:

– Posyłam wam dziecko na górę, sam zmykam do swoich!

– Idź! – Niemal wypchnąłem Zosię w stronę drzwi.

Za nimi stała nasza córka.

– Cześć, mamo! – usłyszałem.